Möge Gott Gnade mit meinen Feinden haben, denn ich habe sie nicht.

Ein guter Plan, der sofort kraftvoll umgesetzt wird, ist besser, als ein perfekter Plan, der nächste Woche umgesetzt wird.

George Smith Patton jr. (1885 - 1945),

Commander in Chief US Third Army

Meinen Töchtern Sophie und Vanessa gewidmet

Thorsten Klein

PSYCHE

5. Buch

Pugnam Pugnare

Roman

www.tredition.de

© 2020 Thorsten Klein
Umschlag, Illustration: Thorsten Klein

Verlag & Druck: tredition GmbH,
Halenreie 40-44, 22359 Hamburg

ISBN
Paperback   978-3-347-15563-3
e-Book   978-3-347-15565-7

Inhalt

Prolog: *Bellatoris* 9

1. Kapitel Nullpunkt...................................17

2. Kapitel Shadow Makers.........................53

Intermezzo 1 76

3. Kapitel Zweiteilung...............................90

4. Kapitel Fission 116

Intermezzo 2 140

5. Kapitel Mauerbau.................................150

6. Kapitel Decisions.................................182

Intermezzo 3 202

7. Kapitel Grenzsetzung...........................214

8. Kapitel Falcons And Doves....................238

Intermezzo 4 267

9. Kapitel Vorbereitungen 274

10. Kapitel   MAD is better.........................291

Intermezzo 5 310

Die Geister, die ich rief…

Mit den in „Usus Belli" berichteten Ereignissen endete auch das MindScript des schwarzen Herzogs und die Zusammenarbeit mit ihm. Wieder stand ich vor der Frage: Wer erzählt mir jetzt, wie es auf Psyche weiterging?

Ich versenkte mich in Trance und rief nach meinen Buchhelden. Beim schwarzen Herzog hatte das schließlich auch funktioniert. Warum sollte ich diesmal keinen Erfolg haben?

Ich rief und wartete. Aber es meldete sich keiner.

Anfangs hatte ich noch gehofft, eine der wunderschönen Göttinnen der Terra Nostra würde sich zeigen. Wäre doch mal eine Abwechslung gewesen, sich Psyches Geschichte von der Augusta oder Catarina Velare erzählen zu lassen.

Ein paar erfolglose Versuche später hoffte ich wenigstens auf ein neues MindScript des schwarzen Herzogs. Vielleicht hatte ihm unsere bisherige Zusammenarbeit gefallen? Immerhin waren daraus zwei Bücher entstanden.

Vergebens, auch er zeigte sich nicht.

Dafür hörte ich Lärm in meinem Treppenhaus. Obwohl ich noch in Trance war.

Gewaltigen Lärm. Als würde Iron Man oder RoboCop auf ´nen Kaffee vorbeischauen wollen. Oder ein SEK - Team in schwerer Ausrüstung ...

Großenhain, den 15.05.2016

Prolog: Bellatoris

Ziel eines Konfliktes oder einer Auseinandersetzung soll nicht der Sieg, sondern der Fortschritt sein.

J. Joubert (1754 – 1824), „Recueil des pensées de M. Joubert" (1838)

Ort: Großenhain, Wohnung des Chronisten

… wer auch immer diesen Krach veranstaltete, er klingelte brav an der Wohnungstür.

Ich blickte durch den Spion und sah … eine Uniform. Genauer gesagt, den Teil einer Uniform, der zwischen Bauchnabel und Brust lag. Der Besucher musste weit über zwei Meter groß sein.

Ich riss die Tür auf und stand Peta Avatar gegenüber. Der stand da, in Generalsuniform und in seiner üblichen Größe von Zweimeterzwanzig, und grinste.

Trotz seiner gewaltigen Größe, stieß er nicht mit dem Kopf an die Decke des Treppenhauses. Die schien ihm ängstlich auszuweichen. Kein Wunder. Petas Haut bestand aus irgendeiner Art flüssigem Metall. Davor hat selbst Stahlbeton Respekt.

Ich bat ihn herein und forderte ihn auf, sich zu setzen.

Er machte es sich auf meiner Couch bequem.

Die würde ihm nicht lange standhalten. Aber ich ignorierte das. In der Hoffnung auf eine neue Geschichte über Psyche.

Außerdem hatte ich sowieso vor, mein Wohnzimmer neu zu möblieren. In zehn Jahren etwa.

„Es wird Zeit, dass ich persönlich die Sache mit dir zu Ende bringe", knurrte er.

„Du willst die Sache mit mir zu Ende bringen? Das klingt nicht gut." Ich blieb lieber stehen. Dadurch war ich ein wenig größer als der vor mir sitzende Gott.

„Ist es auch nicht. Es hat mir überhaupt nicht gefallen, wie schlecht du meinen wunderbaren Krieg im letzten Buch dargestellt hast", knurrte Peta weiter.

„Deinen wunderbaren Krieg? Wie können Kriege wunderbar sein?", verstand ich den Gott des Krieges nicht.

„Genau diese Ignoranz habe ich zu tadeln", grollte der. „Wo bleibt die Würdigung der vielen schönen Blitzkriege. In Polen. In Frankreich. Und vor allem: Wo die Beschreibung der Meisterhaftigkeit des sowjetischen Feldzuges? Den die Deutschen ziemlich schnell verloren haben. In nicht mal einem Jahr. Meisterhafter geht es kaum."

„Im Computerspiel vielleicht. In deinen Kriegen sind Menschen gestorben. Richtige Menschen." Ich stand immer noch. Und ich klang viel tapferer, als ich mich fühlte.

„Aber nicht so viele, wie in eurem 2. Weltkrieg", blaffte er zurück.

„Tot ist tot. Jeder Tote ist einer zu viel." Ich musste schnellstens aus dieser Trance raus. Ich war viel mutiger, als es für meine Gesundheit gut war.

„Menschen", schnaubte Peta verächtlich. „Findest du nicht, du hast mich in deinem letzten Buch ziemlich unsympathisch erscheinen lassen?"

„Ich habe die Ereignisse so wiedergegeben, wie sie mir der schwarze Herzog erzählt hat", verteidigte ich mich.

„Beim schwarzen Herzog kommt immer nur der schwarze Herzog gut weg. Das solltest du doch wissen", hielt er mir vor.

„Stimmt nicht. Ich berichte neutral. Wenn du glaubst, mich einschüchtern zu können, verabschieden wir uns besser gleich. Du bist der Held meines Buches. Du kannst deinem Schöpfer nichts antun."

Darauf lächelte er ein Lächeln, das ganze Armeen in die Flucht getrieben hätte. Ich folgte den fliehenden Soldaten nur deshalb nicht, weil ich viel zu sehr Schiss davor hatte, mich auch nur einen Schritt zu bewegen.

„Wie wäre es, wenn du diesmal mein Chronist bist und Psyches Geschichte nach den Fakten meines MindScripts erzählst?", bot Peta an, sich dabei etwas vorbeugend.

Dadurch wurde das Bedrohliche, das von seiner Gestalt ausging, keineswegs vermindert.

Aber ich wollte sein Angebot nicht nur aus Angst annehmen. „Ich stelle immer die gleichen Bedingungen, wenn ich für jemanden arbeite", stellte ich mit weniger Festigkeit in der Stimme klar, als vielleicht nötig gewesen wäre.

„Du musst keine Angst vor mir haben. Auch ich bin nur die Abbildung eines MindScriptAutors. Die einzige Gefahr, die von mir ausgeht, sind spannende Geschichten, die ich unbedingt erzählen möchte", versuchte er, nett zu sein.

Es gelang mir, ein bisschen weniger verkrampft zu sein.

Peta lehnte sich zurück. „Der Neue Hohe Rat hat sich darauf geeinigt, dass meine Version die am besten geeignete ist, die Geschichte Psyches zu Ende zu erzählen."

11

„Obwohl du dich mit deinen Töchtern verstritten hast?", provozierte ich.

„Nein, sondern weil ich mich mit meinen Töchtern verstritten habe. Für einen Vater ist das manchmal ganz hilfreich. Ab einem gewissen Alter hören Kinder nicht mehr auf ihre Eltern. Egal, wie nützlich deren Rat ist."

„So etwas habe ich auch schon erlebt."

„Ich weiß, dass du Kinder hast. Aber die sind keine Göttinnen, die über mächtige Kräfte verfügen, um die Pläne ihrer Eltern zu durchkreuzen. Sakanias Einmischung in meine Pläne hätte Psyche zerstört. Das wollten wir ja auch. Aber nicht so."

„Ihr wollt Psyche zerstören?", fragte ich erschrocken.

Er nickte. „Von Anfang an. Psyche war ein Gefängnis. Allerdings ein viel Schlimmeres, als du es dir vorstellen kannst."

„Gefängnisse sind immer schlimm. Zerstört man sie deshalb?"

„Und wenn sie von planetarer Größe sind und Milliarden von Menschen einsperren?"

„Ich dachte, ich erzähle in meinen Büchern von einer Welt, die der Erde ähnelt", bemerkte ich. Ziemlich ratlos, wie ich das eben gehörte ins bisher erzählte einordnen sollte. „Ich sehe die Erde nicht als Gefängnis, sondern als Heimat", provozierte ich Peta deshalb.

„Weil du keine Möglichkeit hast, dieser Heimat zu entkommen", schien er darauf einzugehen.

„Die habe ich jederzeit. Mit einem guten Buch, einem schönen Film oder anderen Mitteln kann ich in jede Welt reisen, in die ich reisen will."

„Das wäre mir zu wenig. Virtuelle Welten sind so eingeschränkt. Reale sind besser."

„Willst du damit sagen, Psyche und seine Bewohner sind nur virtuell? Sie existieren nicht wirklich?"

Peta lächelte nur. Er stand auf und handelte.

Mich an den Händen fassend, zog er mich zu sich heran.

Plötzlich war es um uns herum schwarz und ich hatte Mühe, mein Frühstück im Magen zu behalten.

Tief unter uns sah ich Psyche. Die Kälte des Weltalls um uns herum konnte ich nicht spüren. Ich schloss die Augen und hoffte, mein Tod würde schnell und schmerzlos sein.

„Du musst keine Angst haben. In meiner Gesellschaft wird dir nichts geschehen. Also öffne deine Augen wieder und sieh dir Psyche an. Was siehst du", blaffte mich Peta an.

In fatalistischer Ergebenheit gehorchte ich ihm. „Ich sehe Psyches Kontinente, die von hier oben aussehen wie ein Schmetterling", antwortete ich gehorsam. „Da der FogOfWar die Terra Caelica verdeckt, sieht diese Welt aus wie eine Scheibe."

„Für die Menschen da unten ist sie das auch", stimmte mir Peta grimmig zu, „und deshalb haben sie nie versucht, aus dieser Welt auszubrechen. Sie glauben, es gäbe nur diese und machen sich deshalb ständig jeden Quadratzentimeter von ihr streitig. Ich wollte, dass das aufhört."

Ich hatte mich inzwischen damit abgefunden, im schwarzen Nichts des Weltalls zu stehen. Hunderte von Kilometern unter mir eine Welt, die ungefähr so groß wie die Erde war. So fand ich den Mut, Peta wieder zu provozieren: „Bisher haben dir doch all diese Kriege prächtig gefallen."

„Stellst du dich auch auf Sakanias Seite?", reagierte er sofort. „Diese Närrin. Schmeißt einfach so ihr bisheriges Leben weg, weil sie glaubt, anders nicht die bestrafen zu können, die, ihrer Meinung nach, eine Kriegsschuld tragen."

„Du hast sie wirklich sterben lassen?", fragte ich fassungslos.

Er sah mich genauso fassungslos an. „Traust du mir das zu? Du hast doch selbst Töchter. Würdest du zusehen, wie sie in einen Abgrund stürzen?"

„Natürlich nicht."

„Meinst du, Götter sind in dieser Frage anders? Sie hätte durch ihre Eigenmächtigkeiten fast dafür gesorgt, dass der Krieg zu lange dauert. Also hat sich Scandia entschlossen, auf seine bisherige Neutralität zu verzichten."

„Die Neutralität des Skandinavischen Königreiches haben nicht einmal die Nazis verletzt."

„Weil sie wussten, was sie dann erwartet hätte. Der sichere und schnelle Untergang. Binnen weniger Tage. Der Reichsmarschall hatte eine Frau dieses Königreiches geheiratet. Auf meine Empfehlung hin."

„Du stiftest Ehen?"

„Ich sorge dafür, dass Kriege richtig ausgehen. Der Reichsmarschall hat viele Jahre in Scandia gewohnt. Nach dem Krieg der Kaiser. Deshalb wusste er, welche Waffen Scandia hat. Er wollte auch solche Waffen. Wunderwaffen, wie er sie nannte. Und er wusste, wie stark ihre Armeen sind. Das wissen alle Herrscher von Psyche."

„Das hat der Herzog immer nur angedeutet. Er sagte, mehr müsse ich nicht wissen."

„Mehr musstest du bisher nicht wissen. Denn sie haben sich aus allem herausgehalten, was im Rest dieser Welt geschah. Die Skandinavier sind technisch viel weiter, als die anderen Völker Psyches. Deshalb sondern sie sich ab."

„Sie könnten die anderen an ihrem Fortschritt teilhaben lassen."

„Damit die sich mit Waffen bekriegen, die es bisher auf Psyche nicht gab?", protestierte Peta.

Nur mit halbem Herzen, wie mir schien. „Seit wann stellst du dich dem technischen Fortschritt entgegen?", fragte ich deshalb.

„Das habe ich nicht", erwiderte er nach einer Weile. „Es ließ sich ja nicht einmal vermeiden, dass die Psychaner das Geheimnis der Atomkraft kennenlernten. Die Selachii haben einfach nur die richtigen Ideen in die richtigen Köpfe gesetzt. Da die Zeit reif dafür war, ging der Rest sehr schnell. Und natürlich hatten auch die Nazis nicht alle klugen Köpfe aus Deutschland vertrieben. Das gefiel Scandia überhaupt nicht. Sie hatten vertriebenen deutschen Wissenschaftlern Asyl gewährt. Nun sorgten sie für eine rasche Entwicklung der Atomwaffe. Erst in England, später in den USA. Sie selbst hatten schon lange welche. Wollten aber keinen Atomkrieg vor ihrer Haustür. Deshalb sollten die USA den Nazis bei dieser Waffentechnik zuvorkommen."

„Aber Aidoneus arbeitete doch daran, dass die Nazis auch ihre Wunderwaffen einsetzen konnten. Meines Wissens war darunter nicht nur ein Stealth-Flugzeug, sondern auch eine funktionierende Atombombe", erinnerte ich ihn.

„Ob sie funktionieren würde, konnten die Nazis nie testen."

„Das hatten sie aber noch vor. Über London."

„Toller Plan, nicht wahr? Aidoneus bewies wieder einmal, dass ihn die anderen Götter zu Recht eingesperrt hatten. Eingesperrt konnte nur sein Geist Schaden anrichten. Da ihn Richard Renatus überreden konnte, einen menschlichen Körper zu benutzen, war die Gefahr, die von Aidoneus ausging, viel schwerer zu kontrollieren. Kowalski, der den Auftrag hatte, ihn zu überwachen, sollte das sofort feststellen."

„Kowalski? Der hat doch mit den anderen Göttern seines Neuen Hohen Rates gegen Ricardo Bellator gekämpft. Um Sakania vor dessen Wut zu retten. Mit diesem Kampf musste ich mein letztes Buch beenden. Wie ist der denn ausgegangen?"

„Unentschieden."

„Unentschieden? Was soll das heißen?"

„Dass alle verloren haben. Der Neue Hohe Rat wusste, dass das kommen konnte. Schließlich können sie die Zukunft berechnen. Bcoto hat einen Tag vor diesem Kampf noch versucht, ihren Vater davon abzuhalten, Sakania zu töten. Vergeblich, wie du weißt. Aber das kannst du dir selbst ansehen."

Damit riss er mich nach unten.

In die Tiefe.

Dorthin, wo Psyche auf uns wartete.

Damit ich berichten konnte, was ich dort live erlebt hatte.

1. Kapitel   Nullpunkt

„Manchen schien es, als wartete er [Heinrich Himmler] nur noch auf den Tod Adolf Hitlers, um sich endgültig an die Spitze des Staates zu stellen."

> H. Höhne, „Der Orden unter dem Totenkopf", (Erde, 1967)

Ort: Psyche, Mount Melbourne, gestern

Bcoto stand im Inneren eines aktiven Vulkans, inmitten unvorstellbar heißer, brodelnder Lava.

Sie konzentrierte sich auf die Lava, die neben ihr erschien und ein Gesicht formte. Jenes Gesicht, dass dem des schwarzen Herzogs so ähnlich war. Auch die Stimme klang nach der des Herzogs. Nur gewaltiger und kaum menschlich.

„Ich spürte eine mächtige Erschütterung. Also ist es ihnen gelungen, sich das Atom zu unterwerfen?"

„Der Atombombentest war erfolgreich", bestätigte Bcoto.

„Dank deiner Hilfe?"

„Auch Dank meiner Hilfe", schränkte Bcoto ein.

„Es ist Sakania nicht gelungen, den Test zu verhindern? Gut. Götter, die sich gegen mich stellen, müssen schon sehr mächtig sein, um mich zu besiegen."

„Du hast mir versprochen, Sakania in Ruhe zu lassen."

„Du hast mir versprochen, diese Welt zu zerstören, um mich zu befreien."

„Ich habe dir versprochen, dich zu befreien", stellte Bcoto richtig.

„Indem du Psyche vernichtest", beharrte er.

„Und ihre Bewohner?", gab sie zu bedenken.

„Die hatten ihre Chance. Ihre Schlechtigkeit nimmt zu und ihr Sinnen und Trachten ist nur auf das Böse gerichtet. Ich habe ihnen diese Welt geschenkt. Sieh, was sie aus ihr gemacht haben", grollte das Lavagesicht.

„Hör auf, so einen Scheiß zu labern", unterbrach ihn Bcoto wütend. „Es ist Richard Raths Welt. Er hat sie erschaffen. Deine Aufgabe war es, ihm diese Welt zu erhalten. Da dich deine Aufgabe überfordert, werden wir dich befreien. Dabei helfe ich dir. Schon für Sophia Demeter."

„Sie lebt noch?"

„Selbstverständlich. Und sie ist immer noch für ein halbes Jahr auf Psyche, wie sie es dir einst versprochen hat. Spürst du sie nicht mehr?"

„Manchmal. Dort, wo es Natur gibt. Aber auch die nimmt immer mehr ab. Auch so ein Werk der Menschen. Sie haben alles verlernt, was ich sie einst lehrte."

„Stimmt. Sie wissen nicht einmal mehr, dass es dich noch gibt oder dass es dich gegeben hat. Wenn du frei bist, werden sie es erkennen."

„Das geht nur über die Zerstörung dieser Welt. Es leben Menschen darin, sie besitzen Atomwaffen. Es ist also nur noch eine Frage der Zeit, bis sie diese Welt vernichten."

„Sie werden lernen, diese gewaltigen Kräfte zu beherrschen und richtig zu gebrauchen. Dazu benötigen sie noch viel mehr Zeit. Wir werden sie ihnen geben. Dann wirst du bereits frei sein", erklärte Bcoto in einem Ton, der Diskussionen ausschloss.

„Das werde ich nicht. Ich spüre, dass Sakania andere Pläne verfolgt. Pläne, die mir schaden", gab sich die Lava bockig.

„Lass sie in Ruhe."

„Wenn sie mir schadet, werde ich sie vernichten", ließ sich Ricardo Bellator nicht von seinem Standpunkt abbringen.

„Wenn du das versuchst, wirst du unsere gemeinsame Macht kennenlernen", drohte Bcoto.

„Eure gemeinsame Macht?" Der Vulkan erbebte unter seinem gewaltigen Lachen.

„Lass es uns auf unsere Weise tun. Dann wirst du wirklich frei sein", versuchte Bcoto, ihn zu beruhigen.

„Wann?"

„In genau sechzehn Jahren."

„So lange noch." Es klang enttäuscht. Soweit sprechende Lava enttäuscht klingen konnte.

„Du wartest schon so lange. Die paar Jahre werden wie im Fluge vergehen. Vielleicht beteiligst du dich auch aktiv daran? Dann muss sich Maria nicht wieder allein um das passende Wetter kümmern", bat Bcoto.

„Ist der Krieg denn schon vorbei?"

„Er liegt in den letzten Zügen. Die Russen stehen vor Berlin. Sie werden nicht nach Paris und Rom ziehen."

„Doch, das werden sie. Wer soll die Selachii aufhalten, wenn sie „Mission Unthinkable" umsetzen?", widersprach er.

„Wir."

Wieder erbebte der ganze Vulkan unter seinem Lachen.

„Wir haben nicht nur Richard Renatus als Verbündeten, sondern auch Maria Miseria. Eine sehr zornige Maria Miseria, da du ihre Töchter bedrohst", warnte sie.

Bei Marias Namen war die Lavagestalt ruhig geworden. „Maria ist wieder in dieser Welt?", fragte Bellator nach einer Weile. Es klang fast ein wenig ängstlich.

„Schon lange. Du hast es nicht gespürt? Merkst du nicht, wie dir diese Welt entgleitet?"

Wieder schwieg Bellator eine Weile. „Natürlich spüre ich das. Aber seit dem mir die Selachii helfen, ist es nicht mehr so schlimm."

„Die Selachii helfen nur den Selachii. Sie erkennen keine andere Spezies, als ihre eigene als gleichwertig an. Schwach gewordene Götter verspeisen die zum Frühstück."

„Das haben sie noch nicht."

„Weil sie sich durch dich Zugang zu dieser Welt erhoffen. Den kannst du ihnen gern bieten. Wir verspeisen sie dann zum Frühstück. Maria ist fest entschlossen. Renatus auch. Spürst du wenigstens das?", fragte Bcoto.

„Ja, das spüre ich. Es wird ein paar sehr harte Winter geben. Wie immer nach einem Krieg, in dem sie mit-kämpft."

„Die wird es geben. Nutz deinen geringen Einfluss, den du noch auf diese Welt hast, und hilf uns."

„Ich soll das noch forcieren?", fragte er.

„Wenn du das kannst", antwortete sie.

„Du wirst staunen, was ich alles kann."

„Lass Sakania in Ruhe und lass mich staunen. Je besser du uns hilfst, umso glimpflicher wird die Sache für uns alle ausgehen", bot ihm Bcoto nochmals an.

„Glimpflich wird sie nur ausgehen, wenn Sakania ihren Scheiß-Pazifismus lässt. Ich habe jederzeit die Möglichkeit, Psyche in einem gewaltigen Feuerball verglühen zu lassen."

Ort: Psyche, Scandia, Schloss Gripsholm, jetzt

Ein riesiger Feuerball näherte sich Psyche.

Zufällige Beobachter hätten ihn für eine Sternschnuppe gehalten. Obwohl man mit einem Teleskop erkennen konnte, dass die Sternschnuppe aus Menschen bestand.

Aus Menschen, die ein Wesen aus Lava und Asche mit ihren Schwertern bekämpften. Und die es dabei überhaupt nicht zu interessieren schien, dass sie mit kosmischer Geschwindigkeit auf diese Welt stürzten.

Der Mann, der auf einer kleinen Insel im Mellersee stand und die „Sternschnuppe" beobachtete, blieb erstaunlich gelassen. Obwohl sie direkt auf ihn zuraste.

Als sie nahe genug heran war, hob er seine Arme. Ein grelles Licht verließ die Spitzen seiner Finger und hüllte die „Sternschnuppe" ein.

Sanft ließ er sie zu Boden gleiten.

Weniger sanft teilten seine immer noch leuchtenden Hände die Kämpfer.

Einer von ihnen, der größte und scheinbar auch mächtigste, wurde immer noch von diesem Licht eingehüllt.

Er wehrte sich dagegen. Vergebens.

„Heimdall, du verdammter Idiot, lass mich los. Wie kannst du unseren Kampf beenden? Ich hatte sie fast so weit", brüllte die Gestalt aus Lava und Asche wütend.

„Hallo, Richard", antwortete der mit Heimdall angesprochene, „schön, dass du mich erkennst. Ich hätte dich kaum wiedererkannt. Außer an deiner Streitsucht vielleicht."

Der Lavakörper von Ricardo Bellator kämpfte weiter gegen das Licht, das ihn umhüllte. Heimdall schien hingegen keine Mühe zu haben, das wütende Monster zu bändigen. Er fand sogar die Zeit, die anderen Mitglieder der Sternschnuppe anzusprechen.

„Maria, schön, dich zu sehen. Huldrich, Gerrich, hallo miteinander. Habt ihr einen kleinen Familienausflug gemacht? Was ist mit euren Schwestern los? Und wer sind die anderen?"

Nicht nur Huldrich und Gerrich, auch die anderen knieten auf dem Rasen vor dem Schloss vor Sakania und Wihtania, die leblos dalagen.

„Ist das dein Werk?", blaffte Heimdall das Lavamonster an. „Sieht ganz danach aus. Ich hasse ohnmächtige Götter. Das bringt die Weltordnung durcheinander. Ich bin dafür zuständig, dass die Weltordnung nicht durcheinanderkommt."

Während dieser Worte war er auf fast fünf Meter angewachsen und damit ein wenig größer, als das Lavamonster Ricardo Bellator. Den ließ er durch sein Licht auf Menschengröße schrumpfen und verwandelte dann das Licht in die festen Gitterstäbe eines Käfigs. Nachdem er Bellator so eingesperrt hatte, ging er, nach und nach auf menschliche Größe schrumpfend, zu den anderen Göttern.

Wieder kam ein Leuchten aus seinen Händen. Ein ganz zartes nur. Es strich über die Körper der Mädchen.

Die kamen zu sich. Langsam.

Takhtusho half Sakania beim Aufstehen.

Bcoto half Wihtania dabei.

Maria und Heimdall waren nur auf die Medem-Zwillinge konzentriert. Trotzdem entging ihnen nicht, dass auch Kowalski sehen konnte, was sie sahen.

Aus jedem Mädchenkörper floh die durchsichtige Gestalt eines riesigen Haies.

„Das war nicht nur Bellator", waren Heimdalls Gedanken nur für Maria spürbar. „Hier haben die Selachii ihre Hand im Spiel. Bringt die beiden ins Schloss. Die haben wir schnell wieder auf den Beinen. Bellator kann erstmal keinen Ärger machen. Meine Gitter bieten einen guten Schutz."

Ort: Psyche, USA, New Mexico, 14 Tage vorher

Der Strand war zum Schutz von hohen Stacheldrahtzäunen umgeben. Obwohl man ein hochseetüchtiges Schiff benötigte, um diese Insel zu erreichen.

GIs standen Posten. Schwer bewaffnet und mit mitleidslosen Mienen. Dabei war das kein Gefängnis, dem sich das Schiff näherte, sondern die ehemalige Außenstelle einer Eliteuniversität. Die US-Regierung hatte mit der Uni einen Pachtvertrag geschlossen. Vorerst über fünf Jahre.

Zwei davon waren bereits verstrichen.

Aber es gab noch einen anderen Grund zur Eile: Der Krieg neigte sich dem Ende zu. Da man hier an Waffen arbeitete, bestand die Gefahr, dass es keinen Kriegsgegner mehr gab, an dem man sie ausprobieren konnte.

Auch deswegen hatte General Groves gehandelt und weitere Spezialisten angefordert. Er wartete auf seinem erhöhten Platz, bis die Neuankömmlinge den Pier entlang durch die hohen Tore zum Hauptplatz gelaufen waren. Dann räusperte er sich ins Mikrofon und hatte bald die Aufmerksamkeit aller.

„Meine Damen, meine Herren", begann er, „wir sind dazu auserkoren, unserem Land wichtige Dienste zu leisten. Ich bin mir sicher, jeder von Ihnen wird sein Bestes dazu beitragen. Denn eins ist sicher: Mit dem, was wir hier leisten, werden wir den Krieg gewinnen."

Ort: Psyche, Scandia, Schloss Gripsholm, jetzt

„Gegen die Selachii kann man keinen Krieg gewinnen", knurrte Heimdall, während er aus dem Fenster zusah, wie sich die jüngeren Mitglieder des Neuen Hohen Rates auf der Wiese in Kampfkunst übten.

„Aber man kann sich gegen sie wehren. Und das tun wir. Das müssen wir", antwortete Maria.

„Habe ich dich richtig verstanden? Megalodon weiß nicht, wie sehr seine Welt gefährdet ist? Spürt er das nicht?"

„Er sieht sich schon so lange nur noch als geistige Wesen ohne jedwede körperliche Bindung, dass er ihre Körper und die Welt, in der diese leben, nicht mehr spüren kann."

Maria sah, wie Heimdall ihre Worte mit seinem Geist überprüfte. Und wie ihn entsetzte, was ihm diese Überprüfung zeigte. Er überlegte eine Weile.

Dann wies nach unten und auf die Medem Zwillinge. „Sie wissen nicht, wie nah ihre Mutter ist?"

„Auf deinen FogOfWar ist Verlass."

„Und Megalodon hat nichts von der wahren Herkunft der Zwillinge gespürt, als er gegen sie kämpfte?"

Maria nickte nur.

„So schwach ist er?", fragte er. „Oh heilige Scheiße. Was für ein Schlamassel."

„Du sagst es. Und du weißt, was das bedeutet."

„Ja. Dass Scandia seine Neutralität aufgeben muss. Ich werde das Nötige veranlassen", erwiderte Heimdall.

„Das ist schön. Und kein Wort zu den Kindern."

„Sie werden es herausfinden", gab er zu bedenken.

„Ja. Aber das müssen sie ohne unsere Hilfe", sagte Maria und verschwand in der RaumZeit.

Heimdall sah auf die Stelle, wo Maria gerade noch gestanden hatte. Tief in Gedanken versunken. Dann nickte er, als habe er einen Entschluss gefasst, und ging zur Treppe.

Die steig er hinunter, während die jungen Leute fröhlich die Treppenstufen hochgingen und dabei den Kampf auswerteten, den sie unten auf der Wiese ausgetragen hatten.

Aus Niederlagen lernt man viel besser, als aus Siegen. Was dafür sorgte, dass die Ehrlichthausen Geschwister immer bessere Kämpfer wurden und Takhtusho nicht aus der Übung kam. Er hatte nicht verloren. Nicht mal gegen alle anderen zusammen.

„Warum hast du nicht mitgekämpft?", fragte Takhtusho Ala Skaunia. In seiner ihm eigenen Arglosigkeit. Ihn hatte es nie gestört, dass Ala Skaunia ihn nicht leiden konnte. Er kannte sie nur so. „Du könntest viel lernen und eine noch bessere Kämpferin werden."

„Mit dir fetten Klops kämpfe ich nicht. Mir reicht der Unterricht, den mir Kowalski gibt."

„Der sagt, du bist gut. Ich hätte gern herausgefunden, wie gut du bist."

„Wie gut ich bin? Im Kämpfen meinst du?", fragte Ala Skaunia misstrauisch.

„Natürlich", erwiderte Takhtusho in aller Unschuld. „Worin bist du denn noch gut? Kann man das herausfinden?"

Ala Skaunia gelang es, nicht rot zu werden. Und nicht wütend. Wir sehen, sie machte Fortschritte.

„Beim diesem Kampf kann dich nur Sakania besiegen, Takhtusho", mischte sich nun Kowalski eilig ein. Wäre ja noch schöner, wenn Takhtusho herausfand, worin sie wirklich gut war. „Ein Zweikampf zwischen Ala Skaunia und Wihtania wäre eine gute Idee."

Die angesprochenen Damen sahen Kowalski mit großen Augen an. Bei Ala Skaunia war nicht nur Überraschung, sondern auch eine kleine Spur Entsetzen im Blick.

Eine leichte Geste Kowalskis beruhigte sie sofort. „Natürlich nicht heute. So etwas muss gut vorbereitet sein. Aber ich denke, in ein paar Wochen bist du soweit. Bis dahin haben wir ohnehin ausreichend zu tun."

„Das denke ich auch", mischte sich nun Sakania ins Gespräch. „Nach unserem Sieg über Bellator gibt es immer noch Aidoneus. Was machen seine Intrigen?"

Kowalski lächelte. „Die laufen so, wie sie sollen. Er kann mit seiner Körperlichkeit noch nicht viel anfangen, glaubt aber, er sei damit so mächtig, wie es sein Geist sich wünscht."

„Wenn er deine Gegenmaßnahmen erkennt, wird ihn das sehr wütend machen", warnte Sakania.

„Davor habe ich keine Angst", beruhigte Kowalski ihre Ängste. „Ich habe mächtige Verbündete."

„Unsere Mutter", konkretisierte Huldrich trocken.

„Was ist eigentlich zwischen euch beiden gelaufen?", wollte Gerrich wissen.

„Möchtest du Details?" fragte Kowalski, ohne welche zu liefern. „Wir sind die allerbesten Freunde."

„Wir auch", bestätigte Takhtusho kauend, ehe jemand anderes etwas sagen konnte. „Sie ist eine tolle Frau."

Die Kinder dieser tollen Frau schwiegen, verdrehten aber die Augen.

Kowalski grinste und fragte Takhtusho: „Was macht dein Vorgesetzter in Flensburg?"

„Ether? Der hat plötzlich Angst vor den sich nähernden US-Truppen und bastelt an einer neuen Identität."

Ort: Psyche, Washington, Weißes Haus, jetzt

„Wir benötigen eine neue Identität?", fragte der US-Präsident überrascht.

„Wollen Sie, dass Sie die anderen Staatsoberhäupter immer noch als Präsident der Vereinigten Staaten von Hinterindien ansprechen?", fragte sein neuer Berater zurück.

„Das ist eine alte Angewohnheit. Weil wir früher so hießen. Unter britischer Herrschaft. Irgendwann werden sie sich an USA gewöhnt haben", erwiderte der Präsident.

„Hinterindien ist ein Schimpfwort, das die Britannier dieser Gegend gaben, um zu beweisen, dass sie von ihnen aus gesehen am Ende der Welt liegt. Aber wir sind nicht das Ende von Psyche, wir sind sein Beginn", erklärte Fjölnir.

„Ich habe Ihren Artikel in der „Washington Post" gelesen. Eine interessante Theorie, die Sie da ausbreiten. Sie meinen also, dass Psyches Menschheitsgeschichte ihren Ursprung auf unserem Archipel hat? Und Sie haben versprochen, diese Theorie in den nächsten Artikeln stichhaltig zu beweisen?"

Fjölnir nickte. „Das britannische Empire ist erst in den letzten 150 Jahren entstanden. Die Vereinigten Staaten von Amerika gibt es auf Psyche seit 1000 Jahren. Und wir waren nie die Provinz dieser Emporkömmlinge aus London."

„Das höre ich gern. Das hören Ihre Zeitungsleser gern", bestätigte ihm der US-Präsident. „Aber in London wird man das nicht gern hören. Die haben uns vorgeworfen, wir nutzen den Krieg, um die Geschichte umzuschreiben."

Fjölnir grinste. „Dazu ist ein Krieg doch da."

Der drohte mit dem Finger. „Sie werden beweisen müssen, was Sie da behaupten. Schon, damit es keine diplomatischen Verwicklungen zwischen engen Verbündeten gibt."

Fjölnir lächelte. „Ich werde Sie zu absolutem Stillschweigen verdonnern müssen, Mr. President, sonst feuert mich mein Chefredakteur. Das wäre schade. Wo ihm meine Artikel doch so prächtige Verkaufszahlen garantieren."

„Dann wird er Sie schon nicht feuern."

„Geben Sie mir fünf Minuten Ihrer wertvollen Zeit, dann erzähle ich Ihnen, was meine Leser und die amerikanische Öffentlichkeit erst nach und nach durch meine Artikel erfahren werden", bat Fjölnir.

Der Präsident nickte und hörte dann zu. Da er zu dem Gehörten eine Menge Fragen hatte, wurden mehr als fünf Minuten daraus.

Ort: Psyche, Sonderbereich Mürwik, jetzt

„In fünf Minuten können die US-Truppen hier sein und du bist immer noch nicht umgezogen. Ich dachte, Schauspieler beherrschen so etwas im Schlaf", maulte Heinrich Ether.

„Wozu soll ich mich umziehen?" Luitpold Ether saß auf einem schmuddeligen Metallbett und sah aus dem Fenster.

„Damit dein Aussehen zu deiner Rolle passt. Wir sind Kradmelder. Die bekannten Zwillingsbrüder Edeler aus Bayern. Und wir setzen uns nach Süden in unsere Heimat ab. Nimmt uns jemand gefangen, bleiben wir bei der Geschichte", versuchte der Reichsführer SS seinen Bruder aufzumuntern.

„Bei der Geschichte können wir schon deshalb nicht bleiben, weil sie ausgemachte Scheiße ist. Unsere Gesichter kennt jeder. Ich bin ein berühmter Schauspieler, der sogar Angebote aus Hollywood bekam. Und du bist die größte Nazi-Oberbonze, die noch lebt."

„Und die weiterleben will. Hast du keine Lust dazu?"

„Schon, aber nicht so. Was soll mir schon passieren? Ich habe nichts gemacht. Nur Filme gedreht."

„Und ich habe auch nichts gemacht. Nur eine riesige Behörde geleitet. Und das sogar sehr gut. Mit deutscher Effizienz und Gründlichkeit. Trotzdem sind die Amerikaner so blöd und wollen mich vor Gericht stellen. Ich hatte denen mehr Realitätssinn zugetraut."

„So viel, dass sie dich mit dem Aufbau eines neuen Deutschlands beauftragen? Warum sollten sie?"

„Weil ich der Beste dafür bin. Ich dachte, die hätten ein Händchen für eine gute Personalpolitik. Mit mir wäre ein Sieg des Westens über den Bolschewismus eine sichere Sache."

„Im Moment vertragen sie sich doch mit den Russen. So gut, dass die Alliierten dich sogar über den Rundfunk suchen lassen. Ich bin mir sicher, das machen sie nur, um dich nicht zu verlieren. Vielleicht nehmen sie dich ja in Schutzhaft", spottete Luitpold Ether.

„Die werden schon noch merken, wie gut ich bin. Der Krieg ist noch lange nicht zu Ende. Die SS hat noch ein paar Asse im Ärmel und ich wäre gern so lange frei, dass ich noch erleben kann, wie sie stechen", gab sich Heinrich Ether geheimnisvoll.

Nun sah Luitpold nicht mehr aus dem Fenster, sondern seinen Bruder an. „Meinst du nicht, der Krieg war lang genug? Ihr beherrscht nur noch ein paar Quadratkilometer deutschen Bodens und glaubt, ihn noch zu gewinnen?"

„Zumindest können wir die Alliierten zu Zugeständnissen zwingen, die unser Überleben sichern werden. Max Friedrich ist das auch gelungen. Ich habe das Gleiche vor."

Luitpold gab nach. Wie immer. Zum letzten Mal, hoffte er. Er sollte nie erfahren, wie recht er damit hatte.

Ort: Psyche, USA, New Mexico, 14 Tage vorher

„Ich hoffe, Sie haben recht, Oppenheimer", meinte General Groves mit skeptischer Miene.

Oppenheimer hingegen betrachtete den Stahlturm durch sein Fernglas, als habe er nie etwas Schöneres gesehen. „Die Wissenschaftler, die der Meinung sind, die Atmosphäre könne explodieren, wenn wir die Bombe zünden, haben keine Ahnung. Was dort auf dem Stahlgerüst steht, hat nichts mit herkömmlichen Sprengkörpern zu tun. Und unsere Atmosphäre ist stabiler, als diese Wissenschaftler glauben wollen."

„In ein paar Stunden sind wir schlauer", meinte Groves mit jenem Fatalismus, den nur hohe Militärs aufbringen können. Seine Kollegen hatten in Deutschland schon fast jeden Quadratzentimeter erobert. Keine Chance also mehr, die Bombe dort irgendwo einzusetzen. Dementsprechend waren die hohen Regierungsmitglieder, die ihm weisungsberechtigt waren, verschnupft. Um diesen Schnupfen zu heilen, machten sie Druck. Und heute sah man das Ergebnis.

„The Gadget" nannten es alle. Voller Ehrfurcht. Denn jeder, auch die Nichtwissenschaftler, hatte wenigstens die Spur einer Ahnung, was es mit diesem Gadget auf sich hatte.

Ort: Psyche, Reims, SHAEF, jetzt

Die anderen Offiziere hatten keine Ahnung, was ihr Oberkommandierender da zu bereden hatte.

Sie lauschten nur. Es war schon an sich ungewöhnlich, dass ihr oberster Chef persönlich ans Telefon ging. Aber General Patton hatte darauf bestanden, ihn persönlich zu sprechen. Und Patton war zu verdienstvoll, ihm so etwas abzuschlagen.

Es schien, als habe Patton am anderen Ende der Leitung wirklich Wichtiges zu vermelden gehabt.

General Eisenhower legte den Hörer so vorsichtig auf, als sei der von Glas. Dabei hatte sein Gesicht eine furchtbare Blässe angenommen, die langsam einer noch ungesünderen Röte zu weichen begann.

„Alle Führungsoffiziere in mein Arbeitszimmer. Sofort. Ist mein G-2 hier? Sehr gut. Sie kommen auch mit Kowalski. Und Gnade Ihnen Gott, sie können mir auf meine Fragen keine Antworten geben."

Ort: Psyche, Lüneburg, Uelzener Str. 31a, jetzt

„Die wollen uns keine Antworten geben?", fragte der Offizier überrascht.

„Nein, Sir. Die beiden bestehen auf ihrer Geschichte, sie seinen Kradmelder."

„Und was meinen Sie, Sarge?"

„Ich habe Augen im Kopf, Sir. Und ich war im Kino. Sehr oft, Sir", erwiderte der Sergeant lächelnd.

„Ich auch, Sarge, ich auch. Wenn wir da mal keine groß-artigen Leinwandhelden festgenommen haben."

„Es wird uns keinen Oscar einbringen, Lieutenant."

„Nein, aber zumindest eine ehrenvolle Erwähnung. Vielleicht springt auch mehr dabei heraus. Mal sehen. Wir nehmen sie uns einzeln vor?"

„Und wenn sie sich in Widersprüche verwickeln, konfrontieren wir sie damit."

„Wie wir es mit Mobstern auch machen würden. Da sie nicht zu unterscheiden sind, nehmen Sie den Rechten, Sarge, und ich den Linken."

„Zu Befehl, Sir."

„Wäre doch ganz unwahrscheinlich, dass wir sie nicht zum Reden bringen, was Sarge."

Ort: Psyche, Reims, SHAEF, jetzt

„Mein Gott, nun reden Sie schon, Kowalski."

„Das ist so geheim, Sir, nicht mal der Präsident weiß alles."

„Gut, dann sagen Sie mir das, was der Präsident weiß, sonst frage ich bei dem nach."

„Was wollen Sie wissen, Sir?"

„Was ich schon die ganze Zeit frage: Besteht die Möglichkeit, mit einer einzigen Bombe eine ganze Großstadt auszulöschen? So, wie es Patton eben behauptet hat."

„Die Möglichkeit besteht, Sir."

Eisenhower musste sich setzen.

„Arbeiten wir daran, eine solche Waffe zu entwickeln?", fragte er nach einer Weile des Nachdenkens.

„Würde Sie das beruhigen, Sir?"

„War das eine Antwort, Kowalski?"

Der nickte nur.

„Hat der Präsident darum darauf bestanden, Sie an meine Seite zu stellen?", fragte Eisenhower.

„Dresden wäre ein mögliches Ziel gewesen, Sir."

„Die Russen sind schon dort", verstand Eisenhower nun.

„Deshalb ist es kein mögliches Ziel mehr, Sir."

„Wir nehmen auf die Russen Rücksicht?"

„Es ist ein großes, starkes Land, Sir. Und es hat großartige Physiker und Wissenschaftler."

Eisenhower benötigte eine Weile, das zu verstehen. Dann fragte er: „Das heißt, die Russen entwickeln auch so eine Waffe? Und die Deutschen auch?"

„Wir haben dort unsere Informanten, Sir. Zum Teil sehr hochrangige Informanten."

„Was verstehen Sie schon unter hochrangig, Kowalski", knurrte der Armeegeneral, der nicht viel von Spionen hielt.

„Einer hat nur zwei Sterne weniger als Sie, Sir."

„Tatsächlich?"

Eine Weile herrschte Schweigen. Eisenhower schien nachzudenken, während die anderen Herren nicht wussten, worum es eigentlich ging. Außer dem gerade beschriebenen Dialog war nämlich nichts geschehen, als sie der Commander in Chief so plötzlich in sein Arbeitszimmer befahl.

Der sah auf und glaubte, es sei nun an der Zeit für einige Erklärungen. „Patton hat Unterlagen und Materialien sichergestellt, die vermuten lassen, es sei ein deutscher Angriff auf London geplant. Mit einer Waffe, die in der Lage ist, die ganze Stadt zu vernichten."

„Und wie soll diese Waffe nach London kommen?", fragte der Chef der 2nd STAF.

„Mit einem Flugzeug", erwiderte Eisenhower dem Luftwaffenoffizier. „Sie können sich Ihr Grinsen sparen, Sir Arthur. Nach meinen Informationen ist es ein Düsenflugzeug. Schneller als alles, was wir haben. Und so konstruiert, dass es für unser Radar unsichtbar bleibt."

Sir Arthur Coningham, der Chef der Luftwaffe, wurde blass. Dann überlegte er und erwiderte: „Daran arbeiten wir auch, Sir, aber es ist alles noch in Erprobung."

„Die Deutschen arbeiten nicht daran. Ihnen ist es bereits gelungen, so etwas zu bauen. Patton hat Unterlagen und Prototypen, die zu beweisen scheinen, dass es ein flugtaugliches Gerät gibt. Es soll unterwegs sein. Nach London. Ich hätte gern Vorschläge, meine Herren."

Ort: Psyche, Lüneburg, Uelzener Str. 31a, jetzt

„Was schlagen Sie vor, Sarge?"

„Konfrontation?"

Der Leutnant lächelte. „Mit Leuten, die sich auskennen sollten? Gute Idee. Wir haben doch diesen SS-General festgenommen. Der ist erstaunlich ruhig geblieben. So, als habe er keinen Dreck am Stecken. Was sagen unsere Unterlagen?"

„Er ist ein von Eberbach, Sir. Uralte Adelsfamilie. Alles Offiziere. Der Vater ist ein Viersternegeneral."

Der Leutnant pfiff anerkennend durch die Zähne. Ein Viersternegeneral würde er auch gern einmal sein. Irgendwann. Zeit, den ersten Schritt in diese Richtung zu unternehmen. Er erteilte die entsprechenden Befehle und kurze Zeit später brachten zwei GIs il caskar ins Büro.

Der Leutnant musterte den SS-Offizier. Der war mindestens Einsneunzig groß, blond und blauäugig. So, wie diese Burschen halt aussehen sollten.

Und viel zu jung für einen General.

Darauf sprach er ihn zuerst an, um sich die dumme Antwort anhören zu müssen, der Herr SS Brigadeführer sei über sechshundert Jahre alt. In dem Alter sei es angemessen, ein General zu sein.

Nein, zu den beiden Kradmeldern könne er nichts sagen. Wenn sie gültige Papiere hätten, dann seien die gewiss in Ordnung. Deutsche Papiere seien schwer zu fälschen.

„Auch für die SS?", hakte der Leutnant nach.

Der Bursche lächelte verächtlich. „Alle Papiere, die die SS ausfüllt, sind echt. Schließlich ist die SS auch die Polizei."

„Stimmt. Aber mit diesem Blödsinn werden wir Schluss machen. Polizisten werden wieder Polizisten sein. Die guten werden wir aussortieren und wieder ihre Arbeit machen lassen."

„Und die guten Polizisten erkennt ihr deshalb sofort, weil ihr selber Bullen seid?", fragte il caskar.

„Ist das so deutlich zu erkennen?", fragte der Leutnant.

„Ich erkenne bei jedem, was sich hinter der Uniform verbirgt", antwortete il caskar verächtlich.

„Und was verbirgt sich hinter Ihrer Uniform?"

„Ein Offizier der Reichswehr, dem angeboten wurde, vom Oberst zum General aufzusteigen, wenn er dafür die SS-Uniform anzieht. Die Entscheidung fiel leicht."

„Obwohl die SS so viele Verbrechen begangen haben soll?"

„Was für Verbrechen? Mit dem Bolschewismus aufzu-
räumen kann man wohl kaum als Verbrechen bezeichnen."

„Interessante Einstellung." Der Leutnant schien eine
Weile zu überlegen, dann fasste er einen Entschluss. „Sarge,
sagen Sie den beiden Burschen, sie können abtreten. Ich
brauche keine Wache. Und nehmen Sie sich einen Stuhl. Sie
dürfen sich ebenfalls setzen, Herr Brigadeführer."

il caskar lächelte. Die Informationen, die ihm seine Eltern zugespielt hatten, stimmten also. Die US-Truppen bewegten sich bereits von ihrem Verbündeten weg und such-
ten neue Verbündete unter den deutschen Offizieren, die
den Krieg überlebt hatten.

Nach dem Krieg war vor dem Krieg. Und der nächste
Krieg, den die US-Truppen führen würden, sollte gegen die
Sowjetunion gerichtet sein. Damit der siegreich verlaufe,
hatten die richtigen Leute bereits Anweisung erhalten, unter den deutschen Kriegsgefangenen die treffende Voraus-
wahl zu fällen.

Dass il caskar die bestand, war nicht zu bezweifeln.

Ort: Psyche, Moskau, Kreml, jetzt

„Ich bezweifle, dass mir der Genosse Mercheulow die
Wahrheit sagt. Verstanden, Genosse Abakumow?"

Der Chef von SMERSch salutierte nur.

Wissarew sah weiter aus dem Fenster. Es fiel ihm
schwer, sich zu konzentrieren. Manchmal hatte er den Eindruck, er würde sich durch zähes Wasser bewegen.

Heute zum Beispiel. In solchen Situationen konsultiert man seinen Arzt. Aber Wissarews Arzt war ein Gefangener des NKWD. Soviel hatte er bereits herausgefunden.

Dieser Mercheulow war nützlich, wenn es darum ging, politischen Ballast zu entfernen. Aber mit der Festnahme seines Leibarztes hatte er diese Kompetenzen überschritten.

„Sie werden die Lubjanka aufsuchen und dem Kandidaten des Politbüros Mercheulow mitteilen, dass ich meinen Arzt zu sprechen wünsche. Jetzt, sofort. Nehmen Sie ein paar Leute mit, Viktor Semjonowitsch. Falls meinem Doktor etwas zugestoßen sein sollte. In diesem Fall müssen wir entscheiden, was Mercheulow zustoßen soll."

Ort: Psyche, Reims, SHAEF, jetzt

„Wir müssen auf jeden Fall verhindern, dass der Londoner Bevölkerung etwas zustößt, meine Herren. Das bedeutet, wir nehmen die Bedrohung als real an, so unwahrscheinlich das auch ist", fasste Eisenhower einen Entschluss.

Die anderen nickten.

„Seine Chancen stehen am besten, wenn er sich Britannien als Tiefflieger nähert", erklärte Sir Arthur, „was eine Feindaufklärung über Radar, aber auch auf herkömmliche Weise fast unmöglich macht."

„Ein einzelnes Flugzeug und wir müssen solche Angst haben", antwortete Eisenhower sauer.

„Darauf werden wir uns in Zukunft einstellen müssen, Sir", gab Kowalski zu bedenken.

„Gut, dann können wir ja schon mal üben. Vorschläge, meine Herren?", fragte Eisenhower.

Kowalski lächelte, als er der darauffolgenden Diskussion folgte.

Ach, Aidoneus, dachte er, was bist du doch für ein stümperhafter Anfänger.

Aber ich werde dir helfen, besser zu werden, das kann ich dir versprechen. Erst einmal müssen wir dein Flugzeug zum Landen zwingen.

Ort: Psyche, Husum, jetzt

Als das Flugzeug landete, handelten die wenigen verbliebenen Angehörigen der SS-Marineeinheit rasch und präzise. Tankwagen wurden herangeführt und der Flieger aufgetankt.

Der Pilot bekam Kaffee und die Gelegenheit, den Kaffee, den er bereits intus hatte, wieder loszuwerden.

Zwei flugzeuglose Piloten checkten die Maschine von außen, ob alles in Ordnung sei. Ihren Gesichtern war nicht anzumerken, dass sie ein solches Flugzeug noch nie gesehen hatten und sich auch nicht vorstellen konnten, es könne wirklich fliegen. Rumpf und Flügel waren eins und statt Propeller hatte die Maschine Düsen, um sie anzutreiben.

Der Pilot behauptete auf ihre Frage sogar, dass Ding könne fast Schallgeschwindigkeit erreichen. Warum hatten sie auch gefragt? Als sie selber noch flogen, hatten sie ähnlich großspurig mit ihren Leistungen geprahlt.

Dann war alles geschafft und der Pilot stieg wieder in seine Kanzel. Ein Fauchen ertönte, als er die Triebwerke anwarf. Als das Ding beschleunigte, kratzten sich die Expiloten nachdenklich die unrasierten Wangen. So, wie der beschleunigte, abhob und davonflog, mochte das mit der Schallgeschwindigkeit vielleicht doch stimmen.

Ein wenig Hoffnung hatten sie nun, dass diese Maschine den Krieg noch wenden könne, die da so zügig in Richtung friedliches London flog.

Dort hatte keiner eine Ahnung von der Gefahr, die drohend näherkam.

Ort: Psyche, Moskau, Kreml, jetzt

„Ich versichere Ihnen, mein lieber Miron Michailowitsch, ich hatte keine Ahnung von Ihrer Verhaftung. Es geht Ihnen hoffentlich gut?", fragte ein sehr besorgter Wissarew.

Wissarews Leibarzt beruhigte sich langsam.

Die Auseinandersetzungen, die es zwischen den Generälen Mercheulow und Abakumow gegeben hatte, bis er endlich frei war, hatte er nicht mitbekommen. Er entnahm sie nur der Tatsache, dass die Zivilisten von SMERSch ihn aus seiner Zelle holten, während seine Bewacher vom NKWD finster blickten.

Der Metzger fand noch die Gelegenheit, ihm zu versichern, man würde sich wiedersehen.

Der Arzt hoffte inständig, dass dieses Wiedersehen in einer gut gesicherten Psychiatrischen Klinik stattfinden würde, in die man den Metzger eingeliefert hatte. Dass der dort hingehörte, stand außer Zweifel.

Ebenso zweifelsfrei war die Zuneigung, die ihm sein schwieriger Patient immer noch entgegenbrachte. Vielleicht würde sich das aber schnell ändern. Der Arzt war fest entschlossen, Wissarew seine Diagnose mitzuteilen. Auch, wenn er dafür gleich wieder ins Gefängnis musste.

Aber Wissarew lächelte nur, als er sich alles angehört hatte. „Sie erzählen mir da nichts Neues, Miron Michailowitsch. Ich weiß bereits, dass die Durchblutung meines Gehirns immer mehr eingeschränkt ist und ich jederzeit an einem Schlaganfall sterben kann. Ist nicht der Genosse Bolschoi auch so gestorben? Dann ist es ein ruhmreicher Tod. Die Frage ist doch eher, wann ist es soweit?"

Ort: Psyche, Canterbury Distrikt, jetzt

Gleich war es soweit. Bald würde er London am Horizont erkennen können.

Die Sonne ging auf. In seinem Rücken. Also stimmte die Flugrichtung.

Geschwindigkeit und Höhe stimmten auch.

Nur mit dem Düsenantrieb schien plötzlich etwas nicht zu stimmen. Der ging aus. Einfach so.

Treibstoff war genug da. Und alle anderen Anzeigen zeigten ebenfalls keine Abweichungen von der Norm. Aber das Fauchen der Turbinen war verstummt.

Gut, dass das Ding eigentlich ein Segelflugzeug war.

Gut, dass er nahe am Boden flog. Weniger gut war der britannische Ozean unter ihm.

Ein hübscher, kleiner Strand wäre jetzt nicht schlecht.

Land tauchte auch vor ihm auf. Kein Strand. Eine Steilküste und ein paar Klippen davor.

Er korrigierte die Flugbahn, um es noch irgendwie auf die Steilküste zu schaffen. Was auch immer dahinterlag, Land war besser als Ozean. Und viel besser als Klippen.

Noch besser war, dass sich hinter den Felsen der Steilküste weicher britannischer Rasen befand. Die Schafe waren irritiert, machten dem großen Ding, was da aus der Luft auftauchte, aber Platz.

Die Soldaten vom SAS ebenfalls.

Aber nur, um das Flugzeug, kaum war es zum Stehen gekommen, rundherum einzuschließen. Die MPs im Anschlag. Humorlosigkeit in den geschminkten Gesichtern.

Der Pilot lächelte trotzdem, als er ausstieg.

„Gentlemen, Colonel von Altstetten begibt sich in britannische Kriegsgefangenschaft. Bitte seien Sie so nett, und senken Sie Ihre Waffen. Unter Gentlemen ist das doch nicht nötig", erklärte der deutsche Oberst in einem Englisch, das jedem Oxfordprofessor ein anerkennendes Lächeln entlockt hätte.

Der britannische General lächelte auch. Aber er sprach jenes Deutsch, das den Berliner nicht ganz verleugnen lässt.

44

„Colonel von Altstetten, der General Kowalski nimmt Ihre Bitte um die Ehre der Kriegsgefangenschaft an. Seien Sie so nett, und folgen Sie dem Major. Ich werde Ihnen gleich meine Aufwartung machen. Aber erst einmal sorgen wir dafür, dass es dieses Flugzeug und die Bombe darin nie gegeben hat."

Ort: Psyche, SHAEF, Kowalskis Zimmer, jetzt

„Wenn es das Flugzeug nie gegeben hat, gab es auch Aidoneus´ Bedrohung nie", konnte Ala Skaunia ihre Anerkennung nicht verbergen.

Kowalski lächelte. „Offiziell, ja. Denn nur wenige wissen davon. Irgendwann, in vielen, vielen Jahren, wird die Wahrheit herauskommen. Aber dann ist es nicht mehr wichtig."

„Aidoneus wird sehr wütend auf uns sein. Wann ist er hier?", fragte sie aufgeregt.

Kowalski lächelte so, dass sie es nicht sehen konnte. Schließlich hatte er das Ganze auch geplant, um seiner Frau mehr Selbstbewusstsein zu verschaffen. Das hatte sie sehr nötig. Sie besaß gar keins. Erstaunlich für eine Göttin.

„Konzentrier dich, dann kannst du ihn spüren", forderte er sie deshalb auf.

„Ich kann mich nicht konzentrieren."

„Wenn wir üben, kannst du es doch auch."

„Wir üben aber nicht."

„Doch, noch üben wir. Also bitte Konzentration. Er ist nah, spürt uns aber noch nicht."

„Weil er erst seit kurzem ein Mensch ist?"

„Das auch. Hauptsächlich aber, weil er sehr, sehr wütend ist. Das lenkt ab", erklärte Kowalski.

„Er ist sehr, sehr wütend? Oh weh ..."

„Gar nicht oh weh. Wir schaffen das. Du bleibst, wo du bist, ich nehme ihn in Empfang. Da kommt er schon. Es geht los."

Ort: Psyche, USA, New Mexico, 14 Tage vorher

„Endlich geht es los", Oppenheimer war erleichtert.

„Haben Sie die nötigen Anweisungen gegeben?", fragte General Groves.

Oppenheimer nickte. „Das schlechte Wetter ist vorbei. Man könnte fast glauben, der Planet habe sich gegen das gewehrt, was wir ihm antun wollen."

„Unsinn, Oppenheimer, es ist Gott, dem unsere Sache nicht gefällt", war sich General Groves sicher.

„Dabei ist das Ganze eine gute Sache", war sich Oppenheimer sicher.

„Trotzdem kann ihm nicht gefallen, wie tief wir seinen Geheimnissen auf den Grund gekommen sind. Und was machen wir daraus? Eine Waffe."

„Sie sind doch der Militär. Was beschweren Sie sich dann?"

„Glauben Sie mir, Oppenheimer, wir alle werden noch furchtbar bereuen, an diesem Projekt beteiligt gewesen zu sein." Auch darin war sich Groves sicher.

„Mag sein. Vielleicht explodiert die Atombombe ja gar nicht. Oder ihre Sprengkraft ist viel geringer, als erwartet. Warten wir, was daraus wird."

Ort: Psyche, Lüneburg, Uelzener Str. 31a, jetzt

„Wir warten erst einmal, was uns die Ärzte sagen können, Sarge", erklärte der Leutnant.

Der Sergeant sah seinen Vorgesetzten skeptisch an. „Meinen Sie, einer von denen kommt durch?"

„Wenn sie kein Zyankali genommen haben, und danach sieht es aus, habe sie gute Chancen, zu überleben."

„Wer hat gute Chancen zu überleben?", fragte il caskar, der gerade von zwei MPs hereingeführt wurde.

„Ah, unser Reichswehroffizier, der kein SS-Mann mehr sein will. Mal sehen, wie sehr Sie das nicht mehr wollen", knurrte der Leutnant, bot il caskar aber einen Stuhl an. Auch der Sergeant saß.

Sah alles nach einem entspannten Gespräch aus. Aber das täuschte und il caskar spürte das. „Die Kradfahrer haben versucht, sich umzubringen?", stellte er eher fest, als dass er fragte.

Die beiden Militärpolizisten musterten ihn immer noch ohne etwas zu sagen.

„Wie soll ich denn beweisen, dass es mir mit der Ko-operation Ernst ist?", versuchte il caskar, ihr Schweigen zu brechen.

„Indem Sie uns sagen, wer die beiden wirklich sind", er-öffneter der Sergeant, der hinter il caskar saß.

„Das wissen Sie doch schon lange", erwiderte der, ohne sich umzudrehen.

„Wir ahnen es, hätten aber gern Gewissheit."

„Und meine Forderungen?"

„Wurden akzeptiert. Von ganz oben. Der G-2 des Su-preme Commander persönlich hat alle Ihre Bedingungen akzeptiert."

„Kowalski persönlich?", pfiff il caskar durch die Zähne. „Haben Sie das schriftlich? Sonst trau ich dem nicht."

„Sie kennen den General?", war der Leutnant verblüfft.

„Kowalski ist der Ehemann meiner Exfrau, müssen Sie wissen. Das sind sozusagen Familienangelegenheiten."

„Unser Chef ist der Ehemann Ihrer Exfrau? Ich glaube, wir werden eine interessante Zeit miteinander haben", stellte der Leutnant fest.

„Werden wir. Und als Einstand bestätige ich Ihnen, dass die beiden Kradmelder die Etherbrüder sind."

„Okay. Aber wer von den beiden ist wer?"

„Das wird schwer. Eineiige Zwillinge sind kaum vonei-nander zu unterscheiden. Verhören sie doch einfach die beiden Herren. Wer besser schauspielert, heißt Luitpold."

Der Leutnant seufzte. „Wissen Sie, General, ich bin schon seit Ewigkeiten Polizist. Ich habe geholfen, die Mafia zu besiegen und Al Capone hinter Gitter zu bringen. Ich habe dafür gesorgt, dass Lucky Luciano ganz unglücklich wurde und jetzt in Italien ist. Und das, obwohl die sich alle zum Schweigen verpflichtet hatten. Die Etherzwillinge aber, die werden für immer schweigen. Die haben sich nämlich vergiftet."

„Heilige Scheiße!", antwortete il caskar.

„Das können Sie laut sagen", bestätigte ihm der Leutnant.

„Und wie soll es nun mit uns weitergehen?"

Ort: Psyche, Reims, SHAEF, Kowalskis Zimmer, jetzt

„Ich weiß nicht, wie es mit uns weitergehen soll, Aidoneus, wenn du weiterhin nur Scheiße baust. Mach einen Vorschlag", empfing Kowalski den sehr, sehr wütenden Aidoneus.

„Den Vorschlag habe ich bereits", brüllte der, kaum dass er aus der RaumZeit erschienen war. „Ich bring dich um, suche deine Frau und bringe die auch um, nachdem ich mein Vergnügen mit ihr hatte. Das ich dich dabei gestört habe, sehe ich daran, dass du keine Kleidung trägst."

„Du vergnügst dich mit meiner Frau? Ich wusste gar nicht, dass du so menschlich geworden bist. Wo ist deine göttliche Überlegenheit?", spottete Kowalski.

„Die ist schwer umzusetzen, wenn man an einen so schwachen Körper gebunden ist. Also werde ich dich mit in mein Reich nehmen. Dort kann der Spaß länger dauern."

49

„Wenn ich mitkomme."

„Ich werde dich schon besiegen. Schließlich bist auch du nur an einen so schwachen Körper gebunden. Lass es uns wie Männer austragen. Ich weiß, dass du ein Schwert besitzt. Auch ich habe eins."

„Das ist nicht zu übersehen. Bist du schon groß genug, für ein so riesiges Schwert?"

Aidoneus war es nicht. Kowalski war, obwohl oder weil er keine Kleidung trug, viel schneller und wendiger als sein Kontrahent. Aber er war viel vorsichtiger mit dem Schwert.

Während Aidoneus mit seinem riesigen Bidehänder rumfuchtelte und alles Mögliche traf, nur nicht Kowalski, traf der immer seinen Gegner. Allerdings nur so, dass er dessen Haut ritzte. Was dazu führte, dass auch Aidoneus bald kaum noch von Kleidung bedeckt war.

Kowalski schien damit am Ziel zu sein. Mit einer leichten, kaum erkennbaren Bewegung, schlug er seinem Gegner das Schwert aus der Hand.

Sein eigenes verschwand im selber Augenblick.

„Okay. Ich werde dein Schwert aufheben und an mich nehmen, denn nach unseren Regeln bist du besiegt. Du bekommst es wieder, wenn du richtig kämpfen gelernt hast."

Aber Aidoneus kämpfte nach seinen eigenen Regeln. Und als Kowalski sich nach dem Schwert bückte, hatte Aidoneus plötzlich einen Dolch in der Hand und wollte zustechen.

Wenn er denn in der Lage gewesen wäre, sich zu bewegen.

„Erste Lehre für dich aus diesem Zweikampf, lieber Aidoneus, Regeln sind einzuhalten", sagte eine Frauenstimme hinter ihm.

Ala Skaunia hatte blitzschnell seine Hand gepackt und hielt ihm nun den eigenen Dolch … nicht an die Kehle. Viel tiefer. „Zweite Lehre aus diesem Zweikampf, wir Menschen sind stärker, als wir scheinen. Besonders, wenn du es mit echten Vollbürgern zu tun hast. Ich werde dich jetzt nach weiteren versteckten Waffen durchsuchen. Es wäre besser für dich, du rührst dich dabei nicht."

Nachdem sie fertig war, sah sie Kowalski an. „Keine weiteren Waffen. Nur ´ne kleine Erektion. Nichts Bedeutendes."

„Vollkommen unverständlich, wenn man bedenkt, dass er in deinen Armen ist und du nichts anhast."

„Eben", bestätigte Ala Skaunia. „Wenn ich mir aber sein Schwert ansehe, würde ich meinen, größer wird da unten nichts. Nicht einmal durch meine Nähe."

„Könnt ihr jetzt aufhören, zu spotten, und mich wieder loslassen?", fauchte Aidoneus.

„Nur, wenn du versprichst, ein ganz braver Junge zu sein. Bist du es nicht, musst du dir einen neuen Körper suchen. Das kann dauern", erklärte Ala Skaunia.

„Lass mich los und ich verschwinde. Ich sehe schon ein, dass ich euch noch nicht gewachsen bin. Aber eines Tages werde ich euch vernichten."

Ort: Psyche, USA, New Mexico, 14 Tage vorher

„Was für eine Vernichtung." Groves war erschüttert.

Die Vernichtungskraft der Bombe war, im wahrsten Sinne des Wortes, unvorstellbar.

Obwohl mit Leib und Seele Militär, spürte General Groves eine tiefe innere Abneigung, eine solche Waffe gegen andere Menschen einzusetzen.

Oppenheimer hingegen war begeistert. „Und das war nur die kleinste der Bomben, die wir vorbereitet haben. Die anderen werden noch viel mehr Bums haben."

Er sah seinen Chef an. „General Groves, sagen Sie dem Präsidenten, es kann losgehen. Von nun an ist diese Welt eine andere."

2. Kapitel   Shadow Makers1

„Ich habe mich stets um die Freundschaft der Russen bemüht; aber ... die von ihnen inspirierte kommunistische Taktik in so vielen anderen Ländern und vor allem ihre Fähigkeit, lange Zeit große Armeen im Felde stehen zu lassen, beunruhigen mich ebenso sehr wie Sie"

Churchill an Truman (Erde, 05.März 1946)

Ort: Psyche, Mercheulows Datscha nahe Moskau

„Meinen Sie wirklich, dass die Sache so glimpflich abgeht?", fragte Chruschtschow ängstlich.

„Wenn wir die Atmosphäre der Angst weiterhin aufrechterhalten können, warum nicht?", erwiderte Mercheulow leichthin.

Die anderen Genossen sahen sich an.

„Weiß der Genosse Generalissimus, wie es um ihn steht?", fragte Mikojan.

„Selbstverständlich, Anastas Iwanowitsch. Sie kennen doch seinen Arzt. Der wird ihm alles offengelegt haben.

---

1 engl. Schattenmacher (bezieht sich auf die gespenstischen Schatten, die an den Wänden entstehen, wenn bei Atombombenexplosionen Menschen einfach „verdampfen")

Politischen Verstand hatten diese Juden nie", erwiderte Mercheulow.

„Wir werden dem Genossen Generalissimus unsere unverbrüchliche Treue versichern", kam es vom Außenminister.

„Das haben sie doch heute Morgen bereits, Wjatscheslaw Michailowitsch. Aber Sie können ihm gern nochmals in den Arsch kriechen. Der Genosse Wissarew wird es Ihnen nie vergessen", wies ihn Mercheulow zurecht.

Die anderen Genossen duckten sich ängstlich unter der Großspurigkeit Mercheulows. Seine Offenbarung, der Genosse Vorsitzende sei sterbenskrank und mit seinem Ableben bald zu rechnen, hatte wie eine Bombe eingeschlagen. Heftiger, als der Atombombenversuch im fernen pazifischen Ozean, von dem er ebenfalls berichtet hatte.

Die Vereinigten Staaten waren weit und deren Bedrohung so fern. Aber der Genosse Wissarew war nahe und noch sehr lebendig. Deshalb schauderten auch alle, als Mercheulow vorschlug, über die Ämterverteilung nach Wissarews Ableben zu verhandeln.

Nur Marschall Schukow und General Abakumow hatten bis jetzt noch kein Wort gesagt.

Ort: Psyche, Lüneburg, Kreiskrankenhaus

„Er hat noch kein Wort gesagt, Sir", empfing sie der behandelnde Arzt. Wahrscheinlich ein Deutscher. Aber er sprach fließend Englisch. Was die beiden Militärpolizisten als sehr angenehm empfanden.

„Wird er überleben?", fragte ihn der Leutnant.

Der Arzt nickte. „Aber niemand kann jetzt schon sagen, wozu er noch in der Lage sein wird. Sein Gehirn war lange ohne Sauerstoff. Das wird zu Schädigungen geführt haben. Sie können froh sein, dass sie uns gerufen haben. Wir arbeiten schon seit ein paar Jahren daran, Menschen künstlich beatmen zu können. Der Krieg hat uns genug Möglichkeiten geboten, unsere Erfindung auszuprobieren. Deshalb bin ich extra aus meiner Heimat nach Deutschland gekommen."

„Sie sind kein Deutscher?"

„Nein, mein Name ist Henning Ruben und ich bin Skandinavier", erwiderte der Arzt und lächelte, als er die Mienen der beiden amerikanischen Militärpolizisten sah. „Sie müssen mich nicht ansehen, als käme ich vom Mars. Meine Geburtsstadt liegt nur eine halbe Autostunde von hier entfernt."

„Aber hinter dem Danewerk", stellte der Leutnant klar.

„Und damit weit weg von jedem Krieg und jeder Gewalt. Manchmal ist die jedoch nötig, Ärzte zu Höchstform zu bringen. Sie würden staunen, welch bahnbrechende medizinische Erfindungen in diesem Krieg gemacht wurden."

Inzwischen hatten sie ein vergittertes Fenster erreicht und der Sergeant sah hindurch. „Welcher Ether liegt denn nun dort?", fragte der Sergeant.

Der Arzt zuckte die Schultern. „Fragen Sie ihn, wenn er je wieder sprechen kann. Möglich auch, dass er sich nicht erinnern kann."

„Aber die Antwort ist wichtig. Ist es Luitpold, schicken wir ihn nach Hollywood. Dort kann er Nazis spielen. Ist es Heinrich, muss er nach Nürnberg und wird angeklagt."

„Sie sind doch die Polizisten. Finden Sie´s raus."

Ort: Psyche, Husum

„Was wollen Sie eigentlich aus mir rausholen?", fragte der Mann.

Es klang müde, stellte der General in Zivil zufrieden fest. Kein Wunder, nach dem langen Verhör.

„Warum soll ich Ihnen das auf die Nase binden? Sie reden doch sowieso nicht", provozierte er trotzdem. „Kann ich bei den SS-Strolchen verstehen, die wir hier festgenommen haben. Die haben nur ihre Muskeln und die Erbse im Kopf, die sie Hirn nennen. Aber Sie ..."

„Eigentlich haben Sie recht. Der Krieg ist zu Ende. Der Einzige, dem gegenüber man noch loyal sein sollte, ist man selbst", gab der Deutsche plötzlich nach.

„Wollen Sie eine Zigarette?", bot der amerikanische General in Zivil an und wartete, bis sich der deutsche Zivilist die Zigarette angezündet hatte.

Der blies den ersten Rauch aus, nickte anerkennend und sagte dann: „Wir haben ein Flugzeug gewartet und aufgetankt, als wir euch schon auf dem Meer sahen."

„Unser Radar hat kein Flugzeug ausgemacht."

„Ihr habt Radar auch auf euren Schiffen?"

„Ja. Das ist ganz nützlich. Bei Nebel. Und gegen Flugzeuge", gab der General in Zivil zu.

„Das werdet ihr nicht gesehen haben. Der Pilot hat erzählt, das Ding sei für Radar unsichtbar und außerdem viel zu schnell."

„Viel zu schnell?"

„Er sprach von Schallgeschwindigkeit."

„Das ist unmöglich."

Der Deutsche spukte aus. „Nur, weil Sie sich das nicht vorstellen können? Ich habe Raketen gebaut, die diesen Planeten verlassen können. Ich könnte welche bauen, die bis zum Mond fliegen. Die sind um vieles schneller als der Schall. Das Flugzeug hatte keine Propeller, sondern Düsen. Damit wäre eine solche Geschwindigkeit kein Problem."

„Hätten Sie ein Problem damit, eine kleine Reise zu machen?", fragte der General in Zivil. Viel freundlicher, als noch zu Beginn des Verhörs.

„Eine kleine Reise? Wohin?"

„Nach Texas."

„Texas soll eine schöne Insel sein. Aber ich habe meine Familie ewig nicht gesehen."

„Die ist noch immer im Schwarzwald, nicht wahr?"

„Das wissen Sie?", staunte der Deutsche.

„Ich weiß einiges über Sie, Herr Baron. Die Vereinigten Staaten würden sich dieses Wissen, das Sie haben, gern zu Nutze machen. Natürlich wird unsere Bezahlung entsprechend ausfallen. Für Sie. Und für Ihr Team selbstverständlich. Ihre Familien holen wir auch nach Texas. Onkel Sam bezahlt das", bot der General in Zivil an.

„Und dies Angebot macht mir ein Zivilist?"

„Gestatten Sie, dass ich mich vorstelle. Kowalski ist mein Name. General Kowalski. Im Moment bin ich die linke und die rechte Hand des Alliierten Oberbefehlshabers, General Eisenhowers. Es ist alles mit dem General abgesprochen."

Der Deutsche stand ebenfalls auf. „Wernher von Braun ist mein Name. Aber das wissen Sie sicher schon."

Ort: Psyche, Pazifik, Tinian, North Field

„Das wissen Sie schon?", fragte der General überrascht.

„Das war nicht schwer zu erraten, Sir", antwortete der Oberst, während er seinen Kommandanten ansah. Militärische Geheimnisse sind nur Wunschträume von Stabsoffizieren. In der Truppe sickerte immer etwas durch.

Als der Oberst sah, dass sein General nicht begriff, erklärte er: „Sie haben aus meiner Maschine alles ausbauen lassen, was möglich war. Sie haben die Bombenschächte erweitert und uns mit diesen komischen Kürbissen üben lassen. In der Truppe wird schon lange gemunkelt, dass wir eine besonders mächtige Waffe haben."

„Wir werden sie einsetzen. Aber es wird wohl ein wenig heikel werden", begann der General.

„Sie ist noch nicht getestet worden?", vermutete der Oberst.

„Oh doch, ein Test fand statt. Das Testergebnis war mehr als überwältigend. Wir wissen nun, dass eine solche Bombe in der Lage ist, eine Großstadt zu vernichten."

Der Oberst pfiff durch die Zähne „Dann sollten wir aufpassen, dass uns diese kleine Insel nicht um die Ohren fliegt, wenn die Bombe hier ankommt."

„Schön, dass Sie es sagen, Colonel. Ich dachte schon, ich wäre zu vorsichtig."

„Zu vorsichtig gibt es bei Waffen nicht, General, das wissen Sie doch", erwiderte der Oberst.

„Auf jeden Fall weiß ich jetzt, dass ich den Richtigen für den Job ausgesucht habe. Ich erwarte Sie und Ihre Crew in einer halben Stunde zum Briefing."

„Zu Befehl, Sir. General, Sir?"

„Ja, Colonel."

„Ich würde meine B 29 gern taufen, Sir. Letztendlich ist es doch ein Jungfernflug, den wir da übernehmen."

„Genehmigung erteilt, Colonel."

Ort: Psyche, Moskau, Kreml

„Ich erteile unseren Truppen die Genehmigung, in China einzumarschieren. Verstanden, Genossen?" Wissarew sah die Genossen vom Politbüro des ZK der KPdSU an. So, als wolle er erkunden, wer schon abtrünnig wäre. Nach der Nachricht vom bevorstehenden Tod des Zaren.

Der Genosse Skrjabin war nicht abtrünnig, aber Außenminister. Als solcher durfte er widersprechen. Hoffte er. „Obwohl das unsere amerikanischen Verbündeten nicht wollen?", fragte er deshalb.

Wissarew reagierte erstaunlich gelassen. „Nein, sondern weil sie es nicht wollen, Genosse Skrjabin."

„Es geht bereits um die geopolitische Ausrichtung nach dem Krieg. Und die US-Regierung hätte da gern allen Einfluss auf China, den sie bekommen kann", ergänzte Wihtania.

„Richtig, Genossin Ehrlichthausen", stimmte Wissarew zu, „aber auch wir möchten gern in China so viel Einfluss haben, wie es geht. Möglichst allen. Und möglichst allein. Ein kommunistisches China wäre eine prima Sache."

Die Generalin von Ehrlichthausen nickte. „Ich kann mich dem Genossen Mao gern als militärische Beraterin zur Verfügung stellen. Ich bin mir sicher, die Amerikaner haben ihre Berater bereits zu Chiang Kai-Sheck geschickt."

„Der Ausdruck „ich bin mir sicher" bedeutet bei Ihnen doch, Sie wissen, dass die anderen ihre Militärberater hingeschickt haben?", fragte Wissarew argwöhnisch.

„Davon können Sie ausgehen, Genosse Vorsitzender." Wihtania nannte ihn nie anders und er, der sonst immer mindestens auf Woschd oder Generalissimus bestand, schluckte es nur. Die anderen Herren dachten, es liege daran, dass sie eine Frau wäre. Wihtania klärte diesen Irrtum nie auf.

Dafür erklärte sie den Herren, wie es weitergehen müsse. Sie hatte stets ihre ungeteilte Aufmerksamkeit dabei, denn sie irrte sich nie. „Wo liegen unsere Stärken und ihre Schwächen? Die Frage lässt sich leicht beantworten: Wir haben keinen Landbesitz außerhalb der Grenzen der Sowjetunion. Die anderen haben Kolonien. Sehen Sie die Chance, meine Herren."

Die Herren kamen sich ein wenig wie Schulbuben vor. Aber vor einer so schönen Lehrerin will jeder Schulbub glänzen. Wihtania musste nie lange auf Antworten warten.

„Wir sorgen dafür, dass sich ihre Kolonien von ihnen lossagen, und bringen ihnen den Fortschritt der Arbeiter- und Bauerngesellschaft", platzte der Außenminister als erster heraus. „Dann kontrollieren wir ihre Kolonien und deren Reichtum."

„Fast richtig, Wjatscheslaw Michailowitsch..."

„...denn wir werden sie nicht direkt kontrollieren, sondern über die Regierungen, die sie bekommen. Genauso, wie wir es in den Ländern machen, die unsere ruhmreiche Rote Armee befreit hatte", ergänzte Chruschtschow.

Eigentlich müsste man jetzt erstmal lüften, dachte Wihtania.

Aber die Herren nahmen den politischen Dunst, den sie ausströmten, für bare Münze und störten sich nicht daran.

Sie verstand ihre Brüder nun viel besser. Diesen Menschen den richtigen Weg zu weisen, war ein Job, der schlauchte. Auch eine Göttin.

Inzwischen diskutierten die Herren, was in Europa anders werden musste.

Wissarew erklärte weiter: „Wir werden der Siegesgewissheit der Alliierten schon den richtigen Dämpfer versetzen. Die werden merken, was sie von ihrer Demokratie haben."

Damit war es eigentlich so wie immer. Und die meisten hatten inzwischen vergessen, dass sie sich bereits geeinigt hatten, wie es nach Wissarews Tod weitergehen sollte. Sie sahen ihn mit hündischer Ergebenheit an und lauschten seiner Weisheit.

Der gestikulierte mit seiner Pfeife und gab Anweisungen: „Genosse Chruschtschow, Ihr Aufgabengebiet wird sich nun nicht mehr nur auf die Ukraine erstrecken, sondern erst hinter der Werra enden. An der deutsch-deutschen Grenze."

Chruschtschow stand auf und nickte ergeben.

Wissarew sah es gnädig, tigerte weiter durch den Raum und erklärte, ab und zu an seiner Pfeife ziehend: „Vergessen Sie das Geschwafel von der deutschen Einheit. Ein geeintes Deutschland wird immer viel zu mächtig für uns sein. Wir wollen zwei deutsche Staaten. Mindestens. Der östliche davon gehört uns. Was die anderen mit ihren Besatzungszonen machen, ist Ihre Sache."

Wissarew blieb stehen und sah die Politbüromitglieder an: „Der französische Präsident hat mich unter dem Mantel tiefster Geheimhaltung gebeten, seinen Plan zu unterstützen. Er will aus jedem Besatzungsgebiet eine neue deutsche Republik machen. Alles andere macht den Franzosen Angst."

„Sie haben immer noch Angst vor den Deutschen?", fragte Chruschtschow erstaunt.

Wissarew nickte. „Fast so viel, wie vor dem Kommunismus. Wir werden ihnen zeigen, wie mächtig der Kommunismus ist. Sein Gespenst wird wieder umhergehen, in Europa."

Ort: Psyche, Washington, Weißes Haus

„Das Gespenst des Kommunismus darf man nie unterschätzen, Mr. President", bekräftigte der blasse Mann im Bett.

„Die sind aber unsere Verbündeten" warf der Angesprochene ein.

„Unsinn. Der Krieg ist vorbei. Wir brauchen sie nicht mehr. Der nächste Krieg hat bereits begonnen und es kommt nun nur noch darauf an, wer dabei die bessere Ausgangsposition einnimmt, um nicht gleich zu Beginn abgehängt zu werden."

„Das hat nichts mit Sport zu tun."

„Deshalb können wir auch unfair sein, Mr. President. Der einzige Schiedsrichter ist der da oben und er mischt sich selten ein", erklärte der Berater seinem Präsidenten.

„Meinen Sie, er billigt, was wir tun?", fragte der.

„Trauen Sie mir einen direkten Draht dorthin zu?", fragte sein Berater erstaunt.

Der sah genau so erstaunt auf Harry Hopkins. „Unbedingt. Ich hatte noch nie einen Berater, der immer richtig lag. Kein Wunder, dass mein Vorgänger auf Sie nicht verzichten konnte und Sie mir wärmstens empfahl. Wie wollen wir vorgehen?"

„Wir spielen unsere Stärken aus. Die Demokratie ist dem Kommunismus weit überlegen. Bei uns gibt es Freiheit und Gerechtigkeit. Gegen die Nazis mussten wir noch mit den Kommunisten gemeinsame Sache machen. Damit ist es endlich vorbei."

„Sie sprechen mir aus der Seele, Harry. Es hat mir nie gefallen, wie die alle aus ihren Winkeln krochen, und ich konnte nichts dagegen tun", gab der US-Präsident zu.

„Sie müssen sich da raushalten, Mr. President. Suchen Sie sich einen Bluthund. Einen Mann fürs Grobe. Einen richtig scharfen. Der die Kommunisten jagt. Weil er das will. Es gibt genug Senatoren und Abgeordnete beider Parteien, die das wollen, und die für Sie in die Schusslinie gehen können."

„Beider Parteien?"

„Meinen Sie, die werden Ihnen eine vierte Amtszeit zugestehen? Niemals. Man arbeitet bereits an einem Verfassungszusatz, der einer Person nur eine zweimalige US-Präsidentschaft ermöglichen soll. Mehr wird es in Zukunft nicht geben."

„Ich weiß."

„Dann wissen Sie auch, dass man Eisenhower die Präsidentschaft angetragen hat?"

„Die Wahlen sind erst in zwei Jahren, Harry."

„Politisch gesehen also morgen."

„Morgen interessiert mich Politik nicht mehr."

„Auch nicht, was aus der Politik wird, die Sie zu verantworten haben oder die Sie angeregt haben?"

„Sie wissen, wie Sie bekommen, was Sie wollen. Also, was wollen Sie, Harry?", fragte der US-Präsident.

„Fördern Sie den jungen Fjölnir. Ich meine natürlich Paulos Pantonostis. Er ist nicht nur ein begabter Journalist."

„Ich wundere mich, dass seine Zeitung die Dinge ver-öffentlicht, die er schreibt", musste der US-Präsident zuge-ben.

„Warum nicht?", wunderte sich Harry Hopkins. „Jedes Wort davon ist wahr.

Der US-Präsident lachte. „Sie glauben an diesen Schwachsinn, Harry?"

Der sah ihn aufmerksam an. Und erwiderte in einem Ernst, der den Präsidenten nachdenklich machte: „Ich weiß, dass jedes Wort davon wahr ist. Denn ich war dabei, als die Vereinigten Staaten vor tausend Jahren besiedelt wurden."

„Unsinn, Harry. So alt sind Sie nicht."

Nach einem heftigen Hustenanfall entgegnete der je-doch: „Ich bin viel älter, als Sie glauben. Aber es wird Zeit, dass ich abtrete. Der Mann, den Sie als Paulos Pantonostis kennen, ist mein Neffe und heißt Fjölnir. Reicht Ihnen das als Empfehlung?", fragte Harry Hopkins.

„Unbedingt. Soll ich ihn zu Ihrem Nachfolger ma-chen?"

„Das ist unmöglich. Er will es nicht. Fjölnir will nicht mehr sein, als ein Journalist. Sagen Sie den richtigen Leuten, wie sehr Sie ihn schätzen. Der Rest wird sich von selbst ergeben" erklärte der Berater.

„Einverstanden. Was noch?", fragte der Präsident.

„Ein Krieg geht zu Ende. Damit beginnt immer eine technologische Revolution. Diesmal wird sie gewaltig sein. Damit meine ich nicht die Waffen, die wir bauen werden, sondern die Dinge, die bei dieser Entwicklung quasi abfallen. Es wird eine vollkommen neue Welt auf Psyche entstehen. Sorgen wir dafür, dass es die richtige wird."

„Machen wir das nicht schon lange, Harry?"

„Viel zu lange, Mr. President."

Ort: Psyche, Moskau

„Wie lange wird Wissarew noch leben?"

Gerrich lächelte. „Lassen Sie sich überraschen, Georgi Konstantinowitsch."

„Als Militär ist mir das egal. Aber Politiker, die sich überraschen lassen, leben nicht lange. Nicht in diesem Land."

„Und wenn Sie die richtigen Maßnahmen ergreifen? Mercheulow ergreift sie bereits. Er möchte einen einheitlichen Geheimdienst. Unter seiner Führung, versteht sich."

„Darauf kann er lange warten", erwiderte Schukow verächtlich.

„Er wartet nicht. Sobald Wissarew tot ist, wird er handeln. Vorbereitet ist schon alles. Schließlich stellen seine Leute die Bewachung des Kremls."

Schukow verstand. „Dann wird das so schnell wie möglich von meinen Leuten übernommen", erklärte er.

„Es muss aber geschehen, ohne dass nur ein einziger Schuss fällt", verlangte Gerrich.

„Selbstverständlich. Alles andere würde einen Bürgerkrieg auslösen. Den kann im Moment niemand gebrauchen."

„Das wird auch die anderen Politiker davon abhalten, dem Militär ins Handwerk zu pfuschen, wenn das Militär keinen Pfusch macht", stimmte Huldrich zu.

„Es wird keinen Pfusch geben. Weil ich die Planung übernehme", war Schukow zuversichtlich. „Eure Schwester wird mir dabei helfen."

„Dann ist das in Ordnung", war Gerrich einverstanden.

„Mit Wissarews Tod endet dessen Gewaltherrschaft. Etwas anderes lassen wir nicht zu. Egal wie russisch die euch erschien", stellte Huldrich klar.

„Ich glaube, die meisten werden euch bei diesem Punkt unterstützen. Es wird zwar ungewohnt sein, plötzlich keine Angst mehr zu haben. Aber es wird gut sein", war Schukow einverstanden.

„Dann sind wir uns einig, Genosse Marschall? Das ist schön. Sie übernehmen den militärischen Aspekt, wir den politischen. Wir werden alle Hände voll zu tun haben."

„Und wer uns danach nicht unterstützt?", wollte der Marschall wissen.

„Zwei Worte, Genosse Marschall, Lubjanka und Suchanowka. Sie kennen die Vorzüge dieser Einrichtungen? Wir würden sie nochmals nutzen. Ein letztes Mal. Warum sollen die Genossen Mercheulow, Abakumow oder Rjumin nicht die Vorzüge politischer Gefangenschaft kennenlernen dürfen, bevor wir sie vor Gericht stellen?", bemerkte Gerrich mit bitterem Sarkasmus.

Huldrich stand ebenfalls auf. „Soweit muss es gar nicht erst kommen. Wir bevorzugen einen friedlichen Coup d´Etat. Machen Sie einen entsprechenden Plan, Genosse Marschall. Und versagen Sie nicht dabei."

Ort: Psyche, Pazifik, Tinian, North Field

„Wir dürfen nicht versagen, Leute, die ganze Nation blickt auf uns", hatte der Colonel seine Besatzung motiviert.

Das war natürlich nur bildlich gemeint, denn im Moment blickte nur die Besatzung des Flugplatzes auf den riesigen Bomber und seine zwei Begleitflugzeuge, die alles aufzeichnen würden. Auch die Auswirkungen des Bombenabwurfes.

Sie hatten ihn mit der Tonnenschweren Bombe beladen, als sei die ein rohes Ei, und dabei Blut und Wasser geschwitzt.

Dieses Privileg hatte nun nur noch die dreiköpfige Besatzung des Bombers, der ohne Probleme startete und sich mit einer Leichtigkeit in die Luft erhob, als gelte es wieder nur, Kürbisse zu Testzwecken auf die Insel zu werfen.

Aber es war ernst. Bitterer Ernst und der ließ die Besatzung schweigen.

Seine Männer konnten das. In wichtigen Situationen schweigen. Der Oberst steuerte das Flugzeug. Eine viermotorige Boeing B-29 Superfortress. Die anderen beiden Besatzungsmitglieder sahen hinaus und versuchten sich bereits auf das zu konzentrieren, was ihre Vorgesetzten und ihr ganzes Land von ihnen zu erwarten schien:

Tod und Verderben in einer Art und Weise über diese Welt zu bringen, wie die es bisher noch nie gekannt hatte.

Dabei waren sie sich ganz sicher, richtig zu handeln. Denn es hatte sich ihrer eine Ruhe und Zuversicht angenommen, die ein Scheitern des Angriffes von vornherein ausschloss.

Ort: Psyche, Kunzewo, Wissarews Datscha

Diesmal hatte Aidoneus auf eine Art und Weise in die Ereignisse auf Psyche eingegriffen, die sein Scheitern von vornherein ausschloss: Auf die Althergebrachte. Den VIP-Fall Wissarew und den Atombombenabwurf regelte er nur mit seinem Geist. Von Akromytikas aus.

Der begleitete nun nicht nur den Bomber über dem fernen Pazifischen Ozean, sondern auch den Genossen Wissarew auf dem Weg zur Toilette.

Dass Wissarew aufs Klo ging, war ebenso wichtig, wie die Mission der „Enola Gay" über Japan. Beides würde die „Operation Unthinkable" unmöglich machen.

Wissarew ging nie vor dem frühen Morgen zu Bett und schlief dann meist bis gegen elf. In der Zeit hatten seine Bewacher ihre Ruhe. Umso erstaunter waren sie, als der Genosse bei ihnen erschien. In Pyjamahose und Unterhemd. Sich den Bauch kratzend und ausgiebig vor sich hin schimpfend.

Nicht über die Wachen, wie die erleichtert feststellten, sondern über hohe Genossen der Regierung.

Das war so seine Art und nicht weiter verwunderlich.

Ebenso seine Art war es, die Tür hinter sich zuzuschlagen.

Dass dem Zuschlagen der Tür noch ein weiteres Geräusch folgte, hörten die Wächter nicht.

Sie hörten ganz lange nichts mehr vom Genossen Wissarew. Viel länger, als sonst.

Ort: Psyche, Schloss Gripsholm

Kowalski blieb viel länger als sonst in seiner Trance, stellte Ala Skaunia mit Verwunderung fest.

Da er aber lächelte, als er wieder zu vollem Bewusstsein zurückfand, beruhigte sie sich.

Denn es war jenes Lächeln, in das sie sich einst verliebt hatte. Ein Lächeln, das jedem Gegner Kowalskis furchtbare Angst einflößen musste, so jungenhaft es auch war.

„Aidoneus hat aus seiner Niederlage gelernt. Gut so. Als Gott ist er viel besser zu kontrollieren, als in seiner menschlichen Form. Diesmal will er auf Nummer Sicher gehen. Da wir das auch wollen, arbeiten wir gut zusammen."

„Was er wohl dazu sagen wird, wenn er herausbekommt, wie sehr du ihn manipulierst?"

Kowalski sah seine Frau an. „Er wird hoffentlich wütend sein. Sehr wütend."

Es machte sie ganz verrückt, wenn er so war. Sie schmiegte sich an ihn an und nutze schamlos aus, dass Götter sich nackt in eine Trance versenken.

Es machte ihn ganz verrückt, wenn sie so war.

Eine ganze Weile redeten sie nicht.

Zumindest nichts wichtiges, was in dieser höchst seriösen Chronik erwähnenswert wäre.

Sondern sie machten das, was Mann und Frau manchmal tun, wenn sie keine Kleidung tragen. Manchmal sogar, obwohl sie miteinander verheiratet sind.

Danach hatte Ala Skaunia viel von ihrer üblichen Biestigkeit verloren. Und Kowalski meinte, manch schwierige Mission nehme doch ein gutes Ende.

Trotzdem war er für den richtigen Verlauf der aktuellen verantwortlich.

Seufzend bette er Ala Skaunias Kopf so in seinen Schoß, dass er sich wieder in Trance versetzen konnte, und sendete seinen Geist zuerst nach Hiroshima.

Ort: Psyche, Dai Nippon, Hiroshima

Hiroshima sah von weit oben aus, wie jenes Model, über dem sie den Abwurf so oft besprochen hatten.

Die Innenstadt war fast komplett aus Holz erbaut. Diesen Baustoff verwendeten die Japaner gern. Gut so. Er würde ausgezeichnet brennen und die Wirkung der Bombe auf fatale Weise verstärken.

Alles andere war so oft geübt worden, dass es keine Pannen gab. Bombe ausklinken, Wendemanöver einleiten und die Maschine auf Höchstgeschwindigkeit beschleunigen.

Ob die Bombe wirkte und wie sie wirkte, das zu beobachten, war Aufgabe der anderen beiden Flugzeuge.

Der Pilot der „Enola Gay" starrte verbissen nach vorn.

Zum Glück, denn so hatte er die Maschine immer noch fest im Griff, als ein Blitz plötzlich eine Helligkeit verursachte, die so blendend war, dass man glaubte, nie wieder etwas sehen zu können.

Ort: Psyche, Kunzewo, Wissarews Datscha

„Ihr werdet doch mal nach dem Genossen Wissarew sehen können", bat der Sekretär.

Die Soldaten der Leibwache schüttelten den Kopf. Es hätte dem Genossen Wissarew sicher sehr gefallen, welche Angst in den Gesichtern der Genossen zu erkennen war, die vor seiner Schlafzimmertür standen.

Immerhin war es fast Mitternacht. So lange schlief der große Woschd sonst nie.

Der diensthabende Sekretär hatte trotzdem allen Mut aufbringen müssen, sein Büro zu verlassen, um den großen Führer in seinem Schlafgemach persönlich nach dessen Befehlen zu fragen.

Allerdings ließ sich die Schlafzimmertür nicht öffnen.

Irgendetwas Schweres lag dahinter.

Das einzig Schwere allerdings, dass es in diesem Schlafzimmer gab, war der Genosse Wissarew selbst.

Und nun?

Erlaubte sich der Genosse Wissarew vielleicht einen jener Scherze, über die man in der Bevölkerung manchmal munkelte und die alle hier zu Recht fürchteten?

Er hatte einen sehr ... hm ... eigenartigen Humor. Manchmal überlebten seine Untergebenen sogar die Scherze des Woschd. Aber nur manchmal.

Die Anwesenden hofften inständig, heute sei so ein Tag.

Denn sie hatten beschlossen, die Tür nun gemeinsam zu öffnen und damit den Widerstand zu brechen, der sich auf der anderen Seite befand.

Der Genosse Wissarew Höchstselbst hatte die Tür zugehalten. Indem er hinter ihr zusammengebrochen war.

Er war bei Bewusstsein, konnte sich aber nicht rühren. Nur die wie verrückt sich bewegenden Augen zeigten, welch verhängnisvolle Befehle sein Mund herausschreien würde. Zum Glück hinderte ihn die Lähmung am Schreien.

Die Männer seiner Wache schleppten ihn zum nächsten Diwan und legte ihn darauf.

Der Hauptmann sah den Sekretär an.

„Es wäre gut, wenn wir unsere jeweils höchsten Vorgesetzten verständigten. Was halte Sie davon, Genosse Starostin?", fragte er.

Der Sekretär nickte nur und ging dann zum Telefon auf dem Schreibtisch, wo er sich mit dem Genossen Chruschtschow verbinden ließ.

Die Wache hatte eine eigene Telefonverbindung in ihrem Raum. Die führte direkt zum Genossen Abakumow.

Keiner dachte daran, den Genosse Mercheulow zu informieren.

So musste weder Kowalski, noch Aidoneus, ja nicht einmal Huldrich und Gerrich in das Geschehen eingreifen.

Denn es passte genau in die Pläne der Götter, die den Tod des Genossen Wissarew überwachten.

Schließlich war dessen Sterben eine genauso wichtige Angelegenheit, wie sein ganzes Leben vorher.

Da es nun zu Ende war, sollten einige Festnahmen erfolgen.

Ort: Psyche, Moskau, Kreml

„Sie wollen mich festnehmen? Mich?" Mercheulow schrie fast, so wütend war er.

Schukow lächelte nur. „Wir wollen Ihnen die Möglichkeit einräumen, Selbstkritik zu üben, Genosse Mercheulow. Wir haben einen hübschen Gulag für Sie ausgesucht. Ich kann Ihnen den sehr empfehlen. Ich selbst hatte dort die Gelegenheit, Selbstkritik zu üben. Zum Glück habe ich dabei keine Zähne verloren. Andere Offiziere hatten da weniger Glück. Mal sehen, wie es Ihnen dort ergehen wird."

„Wie schon?", knurrte Mercheulow. „Ihr werdet mich irgendwo erschießen und verscharren."

„Sie werden es nicht glauben, Lawrenti Pawlowitsch, aber Sie werden einen fairen Prozess bekommen. Marschall Konew wird ihn leiten. Der Prozess wird sogar öffentlich sein."

„Öffentlich? Also vor ausgewählten Genossen? Damit die Angst bekommen und in Zukunft gehorchen?"

„Aber nicht doch. Diese Zeiten sind vorbei. Wir werden die Presse einladen. Auch die ausländische. Aus dem Westen und aus Amerika. Darauf bin ich selbst gespannt. Das Fernsehen wird auch da sein. Sie kommen ins Fernsehen, Lawrenti Pawlowitsch. Ist das nicht herrlich?"

Intermezzo 1

„Menschen verändern die Geschichte ebenso wenig wie Vögel den Himmel - sie hinterlassen nur flüchtige Muster."

Terry Pratchett, „Gevatter Tod", (Erde 1987)

Ort: Psyche, Schloss Ehrlichthausen

„Jetzt, wo Wissarew endlich tot ist, geht die Arbeit richtig los", sagte Peta, während er sich von seiner MindNetProjektion ab und seinen Söhnen zuwandte.

Die schwiegen wenigstens nur mürrisch, während Maria so tat, als arbeite sie an einer Stickerei.

Was Peta daran am meisten erboste, war die Tatsache, dass Maria überhaupt nicht sticken konnte. Aber er fuhr fort:

„Die Länder Psyches werden das Ende des Krieges nur nutzen, um ihre Truppen neu zu positionieren und jene Staaten in ihre Blöcke zu ziehen, die sich bisher noch nicht entscheiden konnten."

„Und dann wird es den nächsten prächtigen Krieg geben. Zuerst in Asien, im Zuge des Konflikts zwischen Mao und Tschiang Kai Schek. Aber auch die Europäer werden Gründe finden, um sich wieder gegenseitig die Köpfe einzuschlagen", knurrte Maria, ohne vom Sticken aufzusehen.

„So ist es", stimmte ihr Peta zu. „Und damit es nicht dazu kommt, werden alle zusammenarbeiten. Wir sowieso, aber auch Sakania und Wihtania. Die beiden natürlich, ohne dass sie es wissen."

„Du willst sie weiter manipulieren? Ohne mich."

„Dazu brauche ich keine Hilfe, Maria. Ich schaffe das allein."

„Sie werden sich wehren", hoffte seine Frau.

„Das können sie nicht, so lange sie nur Gutes wollen. Diese Welt ist schlecht. Noch hat das Gute keine Chance. Jetzt erstrecht nicht, wo sich Aidoneus einmischt. Heute soll er seine erste richtige Lektion lernen. Also? Wollen wir?"

Das war natürlich keine Frage, sondern eine Aufforderung an seine Söhne, die mit ihm in der RaumZeit verschwanden.

Maria sah ihnen nicht hinterher. Sie war damit beschäftigt, mögliche Änderungen der Zukunft zu berechnen, die ihre Einmischungen hervorrufen würden.

Dazu benötigte sie ihre ganze Konzentration.

Ort: Terra Nostra, Schloss Richard Renatus´

Richard Renatus´ Blick verriet seine hohe Konzentration.

Noch hatte er den Bogen locker in der Hand, den Pfeil aber schon auf der Sehne.

Catarina Velare und Alexandra Al Kahira beobachteten ihn.

Es durfte nichts schiefgehen. Deshalb kam es darauf an, dass alle drei genau zusammenarbeiteten.

Und auf das richtige Timing.

Dafür war Richard zuständig. Er würde das Zeichen geben, worauf die beiden Frauen gemeinsam die Verbindung nach Psyche aufbauen würden.

Dai Nippon und dort das Sugamo-Gefängnis war ihr Ziel.

Denn für heute war die Hinrichtung von Ozaki Hotsumi und Richard Sabota geplant.

Richard Renatus hob den Bogen und zog die Sehne in einer fließenden Bewegung ans Ohr. Der Pfeil verließ fast sofort den Bogen und flog durch die MindNetProjektion, die beide Frauen im gleichen Moment aufgebaut hatten.

Die 3D Darstellung zeigte das japanische Gefängnis und die beiden Spione am Galgen stehend.

Zuerst wurde der Japaner und dann der Deutsch-Russe gehängt. Ziemlich zeitnah.

So hatte der Pfeil keine Probleme, beide zu treffen.

Richard Renatus lächelte, als er das sah.

Ort: Psyche, Schloss Ehrlichthausen

Maria strahlte, als sie ihre Töchter sah.

Sakania machte ein finsteres Gesicht. „Ist er da?“, fragte sie, kaum dass sie aus der RaumZeit in der Küche erschienen war.

„Wenn du deinen Vater meinst, der ist bereits in Sibirien.“

„Wäre schön, wenn er in Sibirien bleiben würde.“

„Er wird zurückkommen. Er wohnt nämlich hier. Du auch, wenn du willst“, erwiderte ihre Mutter.

„Ich bin nur gekommen, weil du mich gebeten hast. Und weil er nicht hier ist. Also? Was willst du von mir?“

„Willst du dich nicht erst einmal setzen?“

Marias Frage war eigentlich nur an Sakania gerichtet. Wihtania hatte bereits am Küchentisch Platz genommen.

Takhtusho aß natürlich. Schließlich aß er immer. Maria war eine bessere Köchin, als ihre Tochter. Das hätte er nie laut geäußert. Aber man sah, wie es ihm schmeckte.

Sakania seufzte, als sie Takhtusho beim Essen sah, setzte sich aber.

Maria nahm ebenfalls Platz.

„Du lebst jetzt in den Vereinigten Staaten?", fragte Maria.

Sakania nickte nur, weshalb Takhtusho mit vollen Backen ergänzte: „Wir leben auch in Skandinavien. Wir leben überall dort, wo Frieden herrscht."

„Weil dein Vater dort wenig Einfluss hat?", vermutete Maria.

„Wundert dich das?", fragte Sakania.

Ort: Psyche, in den (wirklich) menschenleeren Weiten Sibiriens, im tiefen, tiefen Schnee

Wissarew wunderte sich, dass er nicht fror. Schließlich war er nackt und lag im Schnee. Schnee? Im Frühling? War er in Sibirien? Und warum, verdammt noch mal, fühlte er sich so jung, so frei?

Er richtete sich langsam auf und betrachtete seinen Körper. Keine Ahnung, wann er das letzte Mal so toll ausgesehen hatte. Kein dicker Bauch, keine Falten.

Hatte die Sache einen Haken? Sie hatte.

Wissarew sah sich um. Und als er erkannte, wer sich ihm da näherte, dämmerte in ihm eine Ahnung, welchen Haken die Sache hatte.

Ort: Psyche, Schloss Ehrlichthausen

„Es hat immer einen Haken, wenn ihr etwas von uns wollt."

Maria nickte. „Natürlich gibt es den. Ich habe meine Pflichten als Ehefrau. So wie du übrigens auch. Was keine schlechte Basis ist, verpflichtet es doch auch unsere Männer."

Von Takhtusho war so etwas wie ein Grunzen zu hören, das aber auch davon stammen konnte, dass der letzte Bissen etwas zu groß war und er deshalb Mühe beim Runterschlucken hatte.

Maria ignorierte es und sah stattdessen ihre Töchter an.

„Mein Mann wird dafür sorgen, dass in Russland und in Deutschland Ruhe herrscht. Auch nach Wissarews Tod und dem danach unweigerlichem Chaos", antwortete Wihtania auf die stumme Frage ihrer Mutter.

„Die gleichen Intrigen, wie immer", meinte Sakania verächtlich. „Takhtusho und ich sorgen dafür, dass die Menschen dieser Welt bald ins All fliegen können. Nur das kann sie aus ihr befreien."

„Dann beeilt euch. Damit sie fliehen können, bevor sie vernichtet wird", erwiderte Maria dunkel.

„Das wird nicht geschehen", erwiderte Takhtusho mit fast vollen Backen, „wir werden Bellator befreien, ohne Psyche zu zerstören."

„Das freut mich. Aber ihr seid zu wenig. Für das, was ihr vorhabt, müsst ihr Verbündete suchen, um einen Hohen Rat zu bilden."

„Um einen Hohen Rat zu bilden? Wir haben doch schon einen", verstand Sakania nicht.

Also erklärte Maria: „Hoher Rat heißt jede göttliche Vereinigung, die ein gemeinsames Ziel anstrebt und aus mindestens zwölf Göttern besteht."

Ort: Psyche, in den (wirklich) menschenleeren Weiten Sibiriens, im tiefen, tiefen Schnee

Es waren elf Gestalten, die ihn einkreisten. Auch sie waren nackt, auch sie schienen nicht zu frieren.

Dem Grinsen nach zu urteilen, das er bei dem blonden „Vater Robert" sah, hatten sie etwas Besonderes mit ihm vor. Etwas sehr Besonderes. Diese Ungewissheit war höchst unangenehm.

Allerdings war es noch viel unangenehmer, Huldrich und Gerrich nackt zu sehen.

„Was wollt ihr von mir?", fragte Wissarew.

„Wir wollen dich", antwortete Huldrich.

„Du bist gestorben. Hast du das schon mitbekommen?", ergänzte Gerrich.

Wissarew pfiff durch die Zähne. Das gelang ihm erstaunlich gut. Für jemanden, der keinen Körper mehr hat.

„Wieso wollt ihr mich? Muss ich in die Hölle?"

„Glaubst du denn daran?", fragte der blonde Doppelgänger von Vater Robert.

„Nein, natürlich nicht."

„Tja, ich fürchte, dann wird es auch nicht passieren. Was ausgesprochen schade ist.“

„Dass ich nicht in Hölle komme?“, verstand Wissarew nicht.

„Was denn sonst?“

„Vater Robert hat immer gesagt, nach dem Tod bekommt jeder das, was er verdient.“

„Da hat mein Bruder ausnahmsweise mal recht gehabt. Leider bist du etwas Besonderes. Deshalb verdienst du auch etwas Besonderes. Gleich. Ich muss uns entschuldigen, unser Kollege ist spät dran. Du musst ihm seine Unpünktlichkeit verzeihen. Er ist inzwischen viel zu menschlich geworden. Da entstehen solche Schwächen.“

Wissarew verstand nichts. Er konnte aber auch nicht mehr fragen. Denn eine zwölfte Gestalt erschien plötzlich im Schnee.

Und als er die sah, ahnte er, was auf ihn zukommen sollte. Nichts Gutes.

Ort: Psyche, Schloss Ehrlichthausen

„Nur Gutes zu wollen, ist ein Fehler, Sakania. Genau an diesem bist du bisher gescheitert“, erklärte Maria.

„Ich kann aber nicht schlecht sein. Es würde mich ankotzen.“

„Takhtusho kann böse sein, wenn er will.“

„Nicht, seit dem ich mit Sakania zusammen bin.“

„Ich habe geahnt, dass sie einen schlechten Einfluss auf dich haben würde“, seufzte Maria.

Sakania funkelte sie böse an, Takhtusho glotzte überrascht und nur Wihtania verstand. „Wir sollen uns Verbündete suchen, die böse sein können", stellte sie fest.

„Ich arbeite nicht mit meinem Vater zusammen", kam es prompt von Sakania.

„Ala Skaunia kann böse sein. Sehr sogar", schlug Wihtania ihrer Schwester vor.

„il caskar kann das auch. Wenn er es darf", ergänzte Takhtusho.

„Die beiden waren zu eng zusammen, als dass sie wieder miteinander auskommen könnten", schüttelte Sakania den Kopf.

„Ja", meinte Maria, „klingt alles so, als wären sie die idealen Verbündeten für euch."

Ort: Psyche, in den (wirklich) menschenleeren Weiten Sibiriens, im tiefen, tiefen Schnee

„Ich soll eurer Verbündeter sein? Aber ich bin tot", verstand Wissarew kein Wort.

„Na und?", sagte der zwölfte Gott, „und ich bin der Tod. Kann ich deswegen keine Macht ausüben?"

„Du bist der Tod?", staunte Wissarew.

„So besser?"

Aidoneus hatte seinen üblichen schlechtsitzenden grauen Straßenanzug getragen. Aber im Nu hatte er sein Aussehen geändert.

„Willst du mich verarschen?", fragte Wissarew erbost. „Ein Knochenmann im Kapuzenumhang und mit Sense? Sind wir hier im Märchen?"

„In einer Welt, die wirklich eine Scheibe ist, bin ich mit diesem Outfit überaus erfolgreich. Dort bin ich ein echter Pop-Star", antwortete Aidoneus eingeschnappt.

„Das, was nach Wissarews Tod von dir übrig ist, ist ein Teil der russischen Seele" erklärte der schwarze Herzog. „Aidoneus hatte die glorreiche Idee, den in einen kaukasischen Körper zu sperren."

„Was für ein Schwachsinn", meinte Wissarew verächtlich.

„Nein, sondern der Humor von Göttern. Du kannst weiter in dieser Welt walten, wenn du dich uns und unserem Willen unterwirfst", bot der blonde Vater Robert an.

„Und wenn nicht?", wollte Wissarew wissen.

„Dann werden dich Huldrich und Gerrich in sich aufnehmen. Da sie den stärkeren Teil der russischen Seele personifizieren, wird ihnen das ganz leichtfallen."

Die beiden grinsten. „Wir machen es so, dass du noch mal Spaß haben kannst. Mit jedem von uns. Keine Angst. Es tut nur beim ersten Mal weh", bot Huldrich gewollt zweideutig an.

Wissarew schüttelte sich. „Und was wird danach aus mir?"

„Dich gibt es dann nicht mehr. Zumindest nicht allein", erklärte Huldrich.

„Wie gesagt, du musst keine Angst haben. Es tut nicht weh", ergänzte Gerrich mit einem anzüglichen Grinsen.

„Soll das ein Trost sein? Natürlich will ich weiterleben."

„Dann musst du dir einen neuen Körper suchen. Aidoneus wird dir helfen. Er ist gerade unser Lehrling auf diesem Gebiet", bot der „blonde Vater Robert" an.

„Ich muss nicht suchen. Ich nehme den von Mercheulow und regiere mein Zarenreich weiter."

Aidoneus seufzte. „Wenn das so einfach wäre ... Komm mit, Kumpel, ich erklär dir's. Zeit haben wir reichlich. Glaube mir, dass man tot ist, hat auch seine Vorteile. Ich weiß das. Ich sorge für das richtige Sterben. Trotzdem kann mich keiner leiden. Aber das kennst du ja. Ging dir ja dein Leben lang so, dass dich keiner verstanden hat, keiner dich leiden konnte ... "

Damit verschwand er mit ihm in der RaumZeit.

Ort: Terra Nostra, Schloss Richard Renatus´

Hotsumi und Richard Sabota erschienen aus der RaumZeit im Garten von Richard Renatus.

„Willkommen in unserer Welt", begrüßte sie Catarina Velare.

Richard Sabota umarmte zuerst die beiden Frauen und dann den anderen Richard, der ihm zum Verwechseln ähnelte. Hotsumi war sich sicher, sie seien im Paradies. Alle waren nackt und die Frauen waren überwältigend schön. Europäerinnen zwar, aber schön. Auch der Rest sah sehr europäisch aus. „Ich habe mir das Paradies immer anders vorgestellt."

Renatus lachte. „Sind meine Frauen nicht schön genug für dich?"

„Ihre Schönheit ist umwerfend, aber viel zu europäisch."

„Ihr Japaner seid furchtbare Chauvinisten. Aber ich kann dir gern meine Frauen vorstellen."

„Die kenne ich bereits aus den Erzählungen von Richard Sabota. In den letzten Tagen hat er unaufhörlich und von nichts anderem erzählt. Allerdings sind seine poetischen Fähigkeiten sehr eingeschränkt, denn seine Erzählungen reichen bei Weitem nicht an die Wirklichkeit heran."

Renatus nickte. „Mit dieser Schmeichelei hast du die Beleidigung, sie seien zu europäisch, ein wenig wettgemacht."

„Außerdem kann man deutlich erkennen, dass sie dir gefallen", fügte Richard Sabota hinzu.

Hotsumi verstand erst nicht, folgte dann Richards Blick und sah an sich nach unten. Er wurde rot und legte die Hände darüber. „Entschuldigung. Ich wusste nicht, dass mein Geist solche Reaktionen zeigen könnte."

„Glaubst du, am Galgen gestorben zu sein? Traust du uns solchen Pfusch zu? Ich habe gesagt, du wirst leben. Versprochen ist versprochen", erklärte Richard Sabota.

„Deshalb hast du das ehrenvolle Angebot abgelehnt, Seppuku begehen zu dürfen?", verstand nun Hotsumi.

„Natürlich. Die Verletzungen, die ich mir dabei zufügen muss, hätten mindestens zwei Tage der Heilung bedurft. Mal ganz abgesehen von der unästhetischen Sauerei, die solch eine Todesart darstellt. Dann lieber anständig am Galgen baumeln."

„Und wer baumelt da jetzt am Galgen?", fragte Hotsumi.

„Etwas, was kein Pathologe dieser Welt von echten Leichen unterscheiden kann. Du bist nicht der erste, der so aus Psyches Geschichte verschwindet, um mit einer neuen Identität aufzutauchen."

„Du hättest mir sagen können, dass ich nicht sterben muss."

„Das war leider unmöglich. Ein wenig Todesangst zeigen sogar Japaner beim Sterben. Hättest du die nicht gezeigt, wäre die ganze Sache womöglich aufgeflogen", erklärte Sabota.

„Ist sie aber nicht", unterbrach Catarina. „Deshalb können wir alles Weitere bei einem kleinen Imbiss besprechen. Wollt ihr?"

Hotsumi sah, dass Richard Renatus verschwunden war, während Alexandra bereits Platz genommen hatte. Dem Geruch nach gab es auch Speisen, die er aus seiner Heimat kannte.

„Und ob ich will", antwortete er, „mein kommender Tod hat mir den Appetit verdorben. Jetzt, wo ich weiß, dass ich noch lebe, habe ich auch wieder Hunger."

Catarina wies zum Tisch und erklärte: „Essen wir eine Kleinigkeit und sprechen darüber, wie es weitergehen soll."

Ort: Psyche, Schloss Ehrlichthausen

„Ich möchte mit dir darüber reden, wie es weitergehen soll."

„Meine Pläne sind dir doch bekannt. Worüber willst du also sprechen?", fragte Richard Renatus.

„Es wird Tod und Verderben über diese Welt bringen, wenn sich Aidoneus in ihre Angelegenheiten mischt", erklärte Maria.

Richard Renatus nickte. „Das ist eine Möglichkeit. Es kann ihm aber auch helfen, sich aus der Gefangenschaft zu befreien, in die er sich selbst begeben hat."

„Manchmal kann ich deiner immer positiven Denkweise nichts abgewinnen. Er ist der Tod. Etwas anderes kann er nicht."

„Weil er es nie wollte. Aber er ist auch mein Bruder und ich habe ihm schon vor Ewigkeiten versprochen, dass ich ihm helfen werde. Wo soll mir das besser gelingen, als auf Psyche?"

„Wir werden alles dafür tun, dass er keinen Schaden anrichtet."

„Schön. Dabei werde ich immer helfen."

„Helfen? Ich dachte, ihr drei zieht euch zurück?"

„Natürlich tun wir das. Im alten Hohen Rat haben wir allen Funktionen entsagt", sagte Richard mit seinem Lächeln.

Maria ergründete vor allem das Lächeln, mit dem Richard Renatus das sagte. Jenes Lächeln, dass Aidoneus so hasste.

Sie liebte es. „Verstehe", sagte sie nach einer Weile, als sie glaubte, alle Nuancen dieses Lächelns ergründet zu haben.

„Womit du Gelegenheit hast, dich in einen anderen Hohen Rat einzubringen", erklärte sie, was sie verstanden hatte.

Richard Renatus lächelte immer noch.

„Bevor du irgendwelche Aufgaben für mich hast, denke bitte daran, dass ich jetzt Rentner bin", erwiderte er nach einer kurzen Weile.

„Dann wirst du dich zurückhalten? Gut. Wir treffen uns in fünf Jahren in München bei Max Friedrich", legte Maria fest.

„Der SS-General? Ist der nicht im Gefängnis?", fragte Renatus.

„Wie sollte er? Wo er doch den Amerikanern bei der Operation Sunrise so nützlich war. Einen so verdienstvollen SS-General sperrt man doch nicht ein. Aber auch die anderen verurteilten Ex-Nazis werden bis dahin ihre Gefängnisstrafen abgesessen haben."

„In fünf Jahren schon? So schnell kann lebenslänglich vorbei sein?", tat Renatus, als sei er überrascht.

„Man wird sie begnadigen. Damit diese ganze Angelegenheit endlich vergessen wird. Weißt du nicht mehr, wie schnell Menschen vergessen können, wenn sie nur wollen?"

Ort: *Psyche, Schloss Ehrlichthausen*

„Das könnt ihr vergessen", sagte Wihtania empört.

Ihre Brüder grinsten nur.

„Götter machen keinen Urlaub. Und Magistri Militum Per Orientem schon gar nicht", war Wihtania immer noch empört.

„Doch, das können wir", widersprach Huldrich. „Den Urlaub haben wir uns verdient. Wissarew ist tot. Die Sowjetunion hat nun eine echte Chance auf ein klein wenig mehr Demokratie. Soweit die unter der Führung einer kommunistischen Partei überhaupt möglich ist."

„Die geplanten Gerichtsverhandlungen gegen Mercheulow und Konsorten sind schon mal ein guter Anfang. Dein Marschall Schukow hat prima Ideen, wenn du ihn lässt", fügte Gerrich hinzu.

„Wenn ich ihn lasse? Ich mache ihm keine Vorschriften."

„Keine Vorschriften? Du bist seine Frau. Ihr seid verheiratet", erwiderte Huldrich mit echt brüderlicher Herablassung. „Da wir auch verheiratet sind, wissen wir, wie's läuft."

„Ihr seid einfach nur Arschlöcher", war sich ja Wihtania bereits seit ihrer Geburt bezüglich ihrer Brüder sicher.

„Richtig, Schwesterherz. Wir sind ganz gewaltige Arschlöcher geworden. Das wissen wir. Und um davon ein wenig wegzukommen, machen wir jetzt Urlaub. Da wir im Urlaub aber eine Vertretung benötigen, ernennen wir dich hiermit zur Magistra Militum Per Orientem In Tempore", erklärte Huldrich feierlich.

Während Gerrich, viel weniger feierlich aber dafür sehr viel brüderlicher, grinste.

3. Kapitel Zweiteilung

„Liebe amerikanische Landsleute, ich freue mich, Ihnen sagen zu können, dass ich ein Gesetz unterzeichnet habe, das Russland für immer für vogelfrei erklärt. Wir beginnen in fünf Minuten mit der Bombardierung."

Ronald Reagan (1911-2004), 40. US-Präsident, (Erde, am 13. August 1984, bei einer Mikrofonprobe, in der Annahme, das Gerät sei abgeschaltet)

Ort: Psyche, Moskau, Kreml

„Sie sind was?", fragte Chruschtschow überrascht.

„Eine Göttin. Und als solche auch für Russland verantwortlich", antwortete Wihtania, als sei das die natürlichste Sache der Welt.

Chruschtschow musterte sie. Lange. „Ich habe immer mit Verwunderung beobachtet, dass der Große Vorsitzende Ihnen nie widersprach."

„Der Generalissimus wusste es. Er hat immer davon profitiert. Durch die Ideen, die wir hatten. Ich hatte die Idee, ihn zum Generalissimus zu machen."

„Und meine Generalskollegen Lucas Petrowitsch und Marcus Petrowitsch sind Ihre Brüder?", fragte Chruschtschow.

„Leider ja. So etwas kann man sich nicht aussuchen."

„Die sind auch Götter?"

„Leider etwas mächtiger, als ich. Aber sie haben mir ihre Amtsgewalt auf Zeit übertragen, um Urlaub zu machen."

„Ihre Amtsgewalt?", verstand Chruschtschow nicht.

„Sie sind für den Osten Psyches zuständig."

„Sie sind dafür zuständig? Wer legt denn sowas fest?"

„Der Hohe Rat der Götter Psyches."

„Ach, wirklich? Wer hat dann den Westen?"

„General von Ehrlichthausen, mein Vater."

„Psyche ist eine Familienangelegenheit?"

„Schon immer."

Bei diesem Gespräch war Chruschtschow immer ernster geworden. „Dann haben wir den Großen Vaterländischen Krieg mit göttlicher Unterstützung gewonnen?"

„Man gewinnt Kriege immer nur mit göttlicher Unterstützung", antwortete Wihtania noch viel ernster, als Chruschtschow gefragt hatte.

Chruschtschow wurde noch ernster. „Und wenn man diese göttliche Unterstützung nicht mehr hat?"

„Dann verliert man nur noch."

„Immer?"

„Immer."

„Wissarew wusste das?"

„Er ist mit göttlicher Unterstützung an die Macht gekommen. Und meine Brüder haben ihn in dieser Position gehalten. Solange er ihren Plänen nützlich war."

„Und als er ihnen nicht mehr nützlich war, ist er gestorben?", vermutete Chruschtschow.

„Nein, er ist eines natürlichen Todes gestorben. Es war die Bedingung, die er für die Zusammenarbeit gestellt hat."

Nun schwieg Chruschtschow etwas länger. Während er nachzudenken schien.

„Warum erzählen Sie mir das, Genossin General?", fragte er, als er sein Nachdenken beendet hatte.

„Meine Berechnungen haben ergeben, dass Sie die größten Chancen haben, der erste Mann in diesem Staate zu sein. Wenn die Diadochenkriege nach Wissarews Tod beendet sind."

„Die Diadochenkriege? So schlimm wird es?", fragte Chruschtschow, dem die Aussicht darauf nicht zu gefallen schien, wie Wihtania erfreut feststellte.

„Ich möchte nicht, dass es so schlimm wird. Deshalb habe ich beschlossen, Sie einzuweihen. Auch auf die Gefahr hin, dass Sie mir kein Wort glauben", versicherte sie.

Chruschtschows Schweigen war diesmal viel kürzer. „Ich glaube Ihnen jedes Wort. Ein kluger Politiker wird immer jede Chance ergreifen, die ihn an die Macht bringt. Egal, wie märchenhaft die auch klingen mag."

„Gut", klang Wihtania hörbar erleichtert. „Wollen wir absprechen, wie am besten vorzugehen ist?"

„Das wollen wir. Und wenn es Ihnen gelingt, mich zum neuen Woschd zu machen, mache ich Sie zum ersten weiblichen Marschall der Sowjetunion", versprach er.

Wihtania schaffte es, bei diesen Worten nicht rot zu werden.

Ort: **Psyche, USA, Frisco, CA, 1540 Haight Street**

Das Haus war rot. Und ein wenig heruntergekommen. Wie alle Häuser hier.

Takhtusho war gerade dabei, die Reparaturen am Haus vorzunehmen, die am nötigsten waren.

„Schön, dass du da bist", begrüßte er den plötzlich aus der RaumZeit auf der Straße auftauchenden Richard Renatus. „Sakania ist im Haus. Sie wartet schon auf dich."

„Was macht sie?"

„Sie kocht."

„Vor Wut?"

„Nein. Essen. Für uns."

„Für uns?", fragte Richard verwundert. „Aber du isst doch schon."

„Ich esse immer", erwiderte Takhtusho mit vollem Mund. Aber Richard war schon ins Haus gegangen.

Sakania war tatsächlich in der Küche. Und sie kochte. Essen natürlich. Richard setzte sich und sah ihr zu. Ohne gleich ein Gespräch zu beginnen. Rentner haben Zeit.

Sakania setzte sich nach einer Weile zu Richard. Sie schwiegen sich scheinbar an. Aber der „Gedankenaustausch" ihrer mentalen Kommunikation war sehr intensiv.

„Die beiden sollen wir als Verbündete nehmen?", fragte Sakania nach diesem Austausch von Gedanken. Laut und erschrocken.

„Sie sind sehr mächtig. Fast so mächtig wie ich."

„Aber solche Wesen kann niemand kontrollieren. Deswegen hast du sie doch in den Schlaf versetzt."

„Bei ihnen heißt das Standby. Und daraus sind sie sehr leicht wieder aufzuwecken", beruhigte Richard sie.

„Aber fast unmöglich wieder einzuschläfern?"

„Das wird dann deine Aufgabe sein. Irgendwann. Wenn sie wieder schlafen sollen", wich er einer Antwort aus.

„Das sollen sie irgendwann?"

„Ja. Wenn ihre Mission erfüllt ist. Darauf wurden sie programmiert. Von Ricardo Bellator. Du siehst, es hat auch viel mit seiner Befreiung zu tun", warb er.

„Und ihre Befreiung soll jetzt stattfinden?"

„Als ich Psyche erschuf, hatte ich nie vor, diese Welt solle das Schicksal der Erde teilen. Sie wird ihren eigenen Weg finden. Dieser eigene Weg begann bereits während des Krieges gegen die Nazis. Durch deine Schwester. Und durch dich. Ihr sollt dafür belohnt werden."

Sakania war immer noch erstaunt. Und stolz. Sie durfte die beiden mächtigsten Wesen kennenlernen, die die Menschheit je erschaffen hatte.

Und sie durfte sie wecken. Zusammen mit Wihtania. Was bedeutete, die Wesen würden danach ausschließlich nur ihr und ihrem Willen gehorchen.

Ort: **Psyche, München Bogenhausen, Villa Friedrich**

Catarina Velare fiel es schwer, den Partygästen zuzuhören.

Es war eine vornehme Gesellschaft. Und wenn man sich nur auf ihren Anblick beschränkte, konnte man fast vergessen, dass ein Großteil der Bevölkerung immer noch an den Folgen des Krieges litt.

Hier litt niemand. Weder Hunger, noch Durst. Kälte schon gar nicht. Obwohl die Atmosphäre sehr unterkühlt war, fand Catarina Velare.

Der Gastgeber, die ehemalige rechte Hand des Reichsführers SS, ging herum und machte Smalltalk.

Selbstverständlich auch bei den beiden Damen. Schließlich war die Fürstin von Waldenburg die Grand Dame der Münchner High Society und die Sängerin Catarina Velare so etwas von weltberühmt, dass der eigene, im letzten Krieg erworbene Ruhm dagegen angenehm verblasste.

Dabei war der vergangene Krieg auch in den Gesprächen immer noch gegenwärtig. Ein hoher Seeoffizier war gestorben. Und die Bundesregierung hatte Großadmiral Dönitz gebeten, die Grabrede zu halten.

„Meinen Sie nicht, das war ein wenig pietätlos?", fragte Catarina gewollt naiv den ehemaligen SS-General.

„Aus der Sicht des Soldaten keinesfalls, Gnädige Frau. Dönitz war sein unmittelbarer Vorgesetzter. Diese Ehre der Grabrede war also verdient."

„Nach all den Gräueltaten im Krieg?", gab Catarina Velare zu bedenken.

„Im Krieg wird es immer Dinge geben, die zivilisierte Menschen im Frieden niemals zulassen würden. Krieg ist Krieg."

„Sie müssen uns unwissende Frauen entschuldigen, General Friedrich", erklärte die Augusta mit einer Naivität, die der Catarina Velares in Nichts nachstand. „Wir haben mit Krieg nie mehr zu tun, als unsere Väter, Männer und Söhne zu beweinen. Aber immerhin hat man ja einige Offiziere in Nürnberg vor Gericht gestellt. Und auch verurteilt, hörte ich."

„Das war nur die Justiz der Sieger, Königliche Hoheit. Die ist niemals gerecht. Zum Glück haben wir mit der Bundesrepublik einen souveränen Staat, der einige der schlimmsten Fehlurteile abgemildert hat. Obwohl sich die Russen sehr dagegen gesträubt haben", antwortete Max Friedrich.

„Obwohl oder weil sich die Russen sehr dagegen gesträubt haben?", fragte Catarina mit einem Lächeln.

„Hauptsächlich, weil sie sich dagegen gesträubt haben. Schließlich befinden wir uns nun in gegensätzlichen Lagern. Es gibt zwei verschiedene Militärbündnisse, wie Sie vielleicht gehört haben. Wir mussten dem Ostblock mit seinem Warschauer Vertrag etwas entgegenstellen."

„Und um dieses Bündnis zu verstärken, soll es bald eine neue deutsche Armee geben?", fragte die Augusta.

„Königliche Hoheit wissen das?", staunte der ehemalige SS-General.

„Mein Neffe ist der General von Eberbach, müssen Sie wissen. Er hat mit seinem Vater darüber gesprochen und ich habe gelauscht", gab sich die Augusta bescheiden.

„Dann verraten Sie es nicht weiter. Das ist noch streng geheim", bat Max Friedrich.

Ort: Psyche, Berlin, Marx-Engels-Platz

„Das ist alles streng geheim, Genossen", betonte der Genosse Tyzca, Vorsitzender des Politbüros und 1. Sekretär des ZK der SED, wie aktuell seine vollständige Titulatur* hieß.

„Die werden sich das denken können, schließlich ist das Gesetz über den Aufbau bewaffneter Streitkräfte bereits in Kraft", wagte der Genosse Ackermann einzuwerfen.

Tyzca sah in an, wie er ihn immer ansah: Mit müder Abscheu. „Trotzdem werden wir unsere Nationale Volksarmee erst dann offiziell ins Leben rufen, wenn deren Bundeswehr schon lange existiert. Dann haben die angefangen und wir nur nachgezogen", wies er ihn zurecht.

„Das ist Haarspalterei. Wir haben den letzten Krieg vor 5 Jahren beendet und bauen bereits eine neue Armee für einen neuen Krieg auf ...", wollte Ackermann das und noch mehr einwerfen.

---

* das war zwar ein langer Begriff, aber König der DDR hätte einfach nicht zeitgemäß geklungen und den Genossen in Moskau nicht gefallen (Anm. des Chronisten)

Aber Tyzca unterbrach ihn: „... nein, es ist Klassen-kampf, Genosse Ackermann. Haben Sie vergessen, wie die mit den Kommunisten in ihren Ländern umgesprungen sind? Die wurden alle eingesperrt und ihre Parteien verbo-ten. Als nächstes sind wir dran. Dagegen steht die NVA. Nur zur Verteidigung unseres sozialistischen Vaterlandes. Während die Bundeswehr eine reine Aggressionsarmee ist."

Ort: Psyche, Bonn, Museum Koenig

„Diese NVA wird eine reine Aggressionsarmee sein, meine Herren, der verlängerte Arm der Russen. Um uns dagegen zu verteidigen, stellen wir unsere Bundeswehr auf ..."

il caskar schaltete sein Gehör auf Durchgang, während der Politiker, der das nach ihm benannte Amt leitete, da vorn weiter schwafelte.

Stattdessen beobachtete er die anderen Anwesenden. Kowalski tat erfolgreich, als würde er zuhören. Dachte aber bestimmt an Ala Skaunia, so wie der grinste. Die anderen zukünftigen Offiziere, die in Zivil alle etwas „undressed" aussahen und sich auch so zu fühlen schienen, lauschten aufmerksam dem Politikergeschwafel.

Ihre Gedanken konnte il caskar ohne Mühe entziffern. Die meisten waren froh, dass Deutschland wieder eine Ar-mee hatte und dass sie diese führen konnten. Schließlich verlor ein Land nicht jeden Krieg. Vielleicht jeden zweiten?

Da Deutschland die letzten beiden verloren hatte und in dem jetzigen Kalten Krieg mit mächtigen Verbündeten gesegnet war, schien eine Niederlage im nächsten Krieg unwahrscheinlich.

Zumindest war das der Plan.

Dazu war es wichtig gewesen, all das Schlimme aus dem letzten Krieg schnell wieder zu vergessen.

Ort: Psyche, München Bogenhausen, Villa Friedrich

„Das haben Sie wirklich vergessen? Sie wissen nicht mehr, wer ich bin?", fragte Catarina Velare erstaunt.

Der Mann lächelte. Schüchtern und unsicher. Fast so, wie einst Luitpold Ether.

Er sah auch aus wie Luitpold Ether. Jener Schauspieler, den die Hollywood-Produzenten so gern vor ihren Kameras haben wollten. Der das aber nicht durfte, weil sein Bruder der Reichsführer SS war. Er sah auch aus wie der Reichsführer SS. Denn beide waren eineiige Zwillinge.

Aber nur einer von ihnen lebte noch. Und der litt an Gedächtnisverlust. Manche gesellschaftlichen Phänomene sind auch individuell ansteckend.

Es war einem Heer von psychologischen Gutachtern nicht gelungen, was Catarina Velare gerade versuchte. Herauszufinden, welcher der Ether-Zwillinge den gemeinsamen Selbstmordversuch überlebt hatte.

„Ich weiß schon, wer Sie sind, Gnädige Frau. Eine so berühmte Sängerin kennt die ganze Welt. Aber ich kann mich nicht an die gemeinsame Zeit erinnern, die wir beide verbracht haben sollen", versicherte Ether nach einer Weile des intensiven Nachdenkens.

Als er Catarinas ernsten, forschenden Blick sah, fügte er rasch hinzu: „Ich bedauere das sehr, Gnädige Frau. Mit Ihnen gemeinsame Zeit verbracht zu haben, muss wunderschön gewesen sein. Und es ist außerordentlich schade, dass ich nichts mehr davon weiß."

Sein Gesicht zeigte nur die Hilflosigkeit eines Menschen ohne Gedächtnis. Die aber sofort der Freude des Erkennens wich, als ein Mann auftauchte und sich zu den beiden gesellte, als gehöre er dazu.

„Fragen Sie ihn, gnädige Frau. Er behauptet, mein Regisseur gewesen zu sein", wies Ether auf den Neuankömmling.

Der Regisseur nickte Catarina grüßend zu und meinte: „Na, wer sind wir denn heute? Luitpold oder Heinrich?"

„Ich bin Luitpold Heinrich Ether", kam die protestierende Antwort. „Das wissen Sie doch."

„Manchmal ist die deutsche Bürokratie auch einfallsreich. Da man nicht wusste, welcher Ether-Bruder überlebt hatte, gab man ihm einfach die Vornamen beider Brüder", hörte man leichten Spott in der Stimme des Regisseurs.

„Soll ich uns etwas zu trinken holen?", fragte Luitpold Heinrich Ether beflissen. „Und dann reden wir davon, dass damals nicht alles schlecht war?"

Der Regisseur sah ihm hinterher und flüsterte Catarina zu, als Ether außer Hörweite war: „Es ist ein Dilemma. So oder so. Der eine ist kein Schauspieler mehr. Den anderen können wir nicht vor Gericht stellen."

„Die Herren Professoren, die die Gutachten erstellt haben, konnten nicht herausfinden, wer er ist?"

„Nein, konnten sie nicht. Und inzwischen will man das auch nicht mehr. Warum in alten Wunden rühren? Es gibt neue Feinde. Und gegen die müssen die alten Feinde zusammenhalten", erklärte der Regisseur.

„Damit sind Sie einverstanden?", staunte Catarina.

„Glauben Sie das? Haben Sie vor, manchmal nach Berlin zu kommen? Unser neues Theatergebäude wird eingeweiht. Wir spielen Hochhuths „Stellvertreter". Genügt das als Hinweis?"

„Das genügt vollkommen", antwortete Catarina lächelnd. „Ich werde da sein, wenn ich eine Einladung erhalte."

„Wie könnte ich Sie nicht einladen? Ich freue mich über Ihre Zusage. - Und nun lassen Sie uns von heutigen Dingen sprechen. Er ist gleich wieder hier. Man kann ihm immer ansehen, wie weh es ihm tut, wenn Menschen über jene Zeit reden, an die er sich so überhaupt nicht erinnern kann."

Ort: Psyche, Berlin, Grunewald, Villa Eberbach

„Darf ich Sie daran erinnern, dass Sie bei mir zu Hause sind. Und dass ich Ihnen nie das „Du" angeboten habe?", knurrte Generaloberst von Eberbach.

„Aber wir sind Schwäger. Die duzen sich", warf Aidoneus, scheinbar eingeschüchtert, ein.

„Sie haben Schande über unsere Familie gebracht. Wenn die eines Tages durch Ihren Tod abgewaschen sein wird, werde ich Ihnen wieder das Du anbieten. Können wir nun über die wirklich wichtigen Dinge sprechen?"

„Ich bin ganz Ohr", klang Aidoneus immer noch eingeschüchtert.

„Es wird auf Psyche zukünftig nur noch zwei große Blöcke geben. Jede Nation muss sich für einen dieser Blöcke entscheiden. Neutralität wird nicht geduldet."

„Sie stellen da hohe Ansprüche, mein lieber Generaloberst von Eberbach", erwiderte anerkennend Aidoneus. „Es gibt immer Herrscher, die glauben, sich aus allem heraushalten zu können. Gibt es die in dieser Welt nicht?"

„Natürlich gibt es die auch in dieser Welt. Das wissen Sie doch besser als ich", kam es barsch von il caskars Vater zurück.

Aidoneus tat immer noch, als sei er eingeschüchtert. „Wenn Sie damit meine Jahrmillionen lange Erfahrung ansprechen, würde ich die Ihnen gern zu Diensten stellen, Herr Generaloberst", bot er devot an.

„Völlig uneigennützig, natürlich."

„Uneigennützig? Ich? Wollen Sie mein schlechtes Image versauen? Natürlich habe ich auch meine eigenen Pläne."

„Die haben mit Richard Renatus zu tun?"

„Nur mit dem. Er glaubt, er könne aus mir einen ebensolchen menschlichen Gott machen, wir ihr alle es seid. Ich habe dagegen gewettet."

„Sie werden verlieren", war sich der alte General sicher.

„Meinen Sie?", wagte Aidoneus zu zweifeln. „Ich habe einen Vorteil, den ihr nicht hattet. Wir beide sind Teil einer göttlichen Entität. Alles, was er weiß, weiß ich auch. Alles, was er kann, kann ich auch. Er ist der Gute, ich bin der Böse. In einem Märchen wäre damit der Ausgang klar. Dort gewinnt immer der Gute. Im richtigen Leben ist ebenfalls alles klar. Da gewinnt immer der Böse."

Ort: Psyche, Scandia, Schloss Gripsholm

„Wir müssen dafür sorgen, dass das Böse nicht gewinnt", erklärte Takhtusho mit vollen Backen den Plan, den er und Kowalski ausgearbeitet hatten.

„Eure Ideen sind originell und sehr modern. Aber Aidoneus ist ein sehr alter und ein sehr mächtiger Gott", wagte Wihtania einzuwenden.

Takhtusho grinste. „Er ist alt, seine Ideen sind alt. Unsere sind modern. Außerdem ist er nur böse. Deine Mutter hat schon recht. Wenn wir nur gut wären, würden wir scheitern. Wir brauchen böse Verbündete. Ala Skaunia haben wir schon. Wie wäre es mit il caskar?"

Ort: Psyche, Strausberg i. Barnim

„Wie wäre es mit dem Posten des stellvertretenden In-
nenministers und des Stabschefs der neuen Streitkräfte,
Generalleutnant Müller?", fragte il caskar.

Vincenz Müller musterte seinen Generalskollegen in Zivil. „Habt ihr das beschlossen?", fragte er.

„Wenn Sie einverstanden sind, ist es beschlossen."

„Warum sollte ich nicht einverstanden sein?"

„Weil ein ehemaliger Wehrmachtsgeneral vielleicht
Aversionen gegen die Kommunisten hat?", erklärte il
caskar mit einem kaum zu sehenden, bösen Lächeln.

„Sie waren sogar bei der SS, Generalmajor von Eberbach. Zuletzt als Brigadeführer, habe ich gehört. Und sind
nun General der Kasernierten Volkspolizei", hielt Müller
dagegen.

„Mir ist es doch egal, wer in der Regierung ist, so lange
ich General sein kann", erklärte il caskar.

Vincenz Müller hüstelte. „So würde ich es nicht ausdrü-
cken ... Aber wenn die Kommunisten meine fachmänni-
sche Hilfe brauchen und ich wieder General sein kann. Warum nicht?"

il caskar zeigte nicht, wie erfreut er über die Zusage war.
Sein Vater hatte wenig Zutrauen zum diplomatischen Ge-
schick seines Sohnes. Aber der hatte schon wieder einen
neuen Verbündeten für den großen Plan gewonnen.

Ort: **Psyche, Scandia, Schloss Gripsholm**

„Wie wollt ihr il caskar als Verbündeten für euren großen Plan gewinnen?", fragte Wihtania.

Takhtusho lächelte immer noch. Denn er hatte einen Plan, einen guten. Es war ein schönes Gefühl, kein Spasti mehr zu sein. „Indem wir ihm nicht sagen, dass er für uns arbeitet, sondern seine Pläne so ausnutzen, dass sie unsere unterstützen."

„Die übliche Taktik des Hohen Rates eben."

„Sie funktioniert seit Jahrtausenden. Auch in dieser Welt, die noch keine tausend Jahre alt ist."

„Stimmt. Die aber vor der Wahl steht, weiter zu existieren oder unterzugehen."

Ort: **Psyche, Moskau, Kreml**

„Es geht um Existenz oder Untergang, Genosse Breschnew. Ich vertraue Ihnen die Zukunft der Sowjetunion an", erklärte Chruschtschow schwülstig.

Der Angesprochene lächelte nicht, obwohl er sich freute. „Der Genosse Malenkow und der Genosse Außenminister waren mit meiner Wahl zum Sekretär des ZK einverstanden?", fragte er überrascht.

„Das waren sie nicht. Sie leben noch in der alten Zeit und nach den Prinzipien ihres Vorbildes Wissarew. Aber es ist eine neue Zeit angebrochen, Leonid Iljitsch. Die benötigt eine neue Art von Politik."

Breschnews Miene versuchte vergebens, die Begeisterung Chruschtschows zu teilen. Weil sich sein ganzes Innere dagegen sträubte. „Wir wollen demokratischer werden? Aussprachen ermöglichen? Uns neuen Ideen öffnen? Was ist, wenn den Bürgern der Sowjetunion unsere Regierung nicht mehr passt? Was, wenn sie uns abwählen?", fragte er.

„Man muss ja nicht gleich alles neu machen. Aber die Angst und der Terror, die unter Wissarew herrschten, die sind vorbei. Mercheulow, Abakumow und ein paar andere wurden rechtmäßig verurteilt", erwiderte er.

„Unter den Augen amerikanischer und westlicher Fernsehkameras. Die uns dann trotzdem die ausgesprochenen Todesurteile vorgeworfen haben", gab Breschnew zu bedenken.

„Auch in den Vereinigten Staaten gibt es die Todesstrafe. Wir sind ein souveräner Staat mit eigenen Gesetzen. Wenn die meisten Europäer die Todesstrafe abschaffen, ist das ihre Sache. Unsere Sache muss die neue Öffnung sein. Ein demokratischer Sozialismus", warb Chruschtschow.

„Bolschoi und Wissarew werden sich im Grabe umdrehen."

„Ich habe den Genossen Bolschoi in seinem Mausoleum besucht. Er ruht immer noch ganz friedlich. Was Wissarew in der Hölle macht, interessiert uns nicht. Uns interessieren die Lebenden", fand Chruschtschow zu einem Lächeln.

„Wir haben ja nicht alle Gulags geschlossen", gab sich Breschnew versöhnlich. „Mit einer vorsichtigen Milderung bin ich einverstanden."

„Gut. Wir brauchen junge Männer wie Sie, Genosse Breschnew. Wir haben nicht die Rodina vor den Nazis gerettet, damit sie jetzt im atomaren Inferno verglüht."

„Reisen wir deshalb in die Vereinigten Staaten?"

„Wollen wir einen neuen Krieg? Unser Land hat sich von dem letzten noch nicht erholt. So lange man mit einander sprechen kann, wird es keinen Krieg geben. Auch, wenn die Amerikaner vielleicht denken, wir wollen sie nur einlullen."

Ort: Psyche, Washington, D.C., Weißes Haus

„Sie meinen, die kommen nur hierher, um uns einzulullen?", fragte Eisenhower verblüfft.

Harry Hopkins lächelte. „Sie sind noch nicht lange Präsident, aber Sie haben bereits die Grundzüge der internationalen Politik verstanden. Man verarscht sich gegenseitig und versucht dabei, so viel wie möglich für sich rauszuschlagen."

„Wie soll man so miteinander reden?"

„Indem man sich immer gewiss ist, dass wir uns diese Welt, auf der wir leben, erhalten müssen. Wir haben nur diese eine."

„Verstehe. Wir haben das erste Mal die Gelegenheit, sie gründlich zu vernichten", erklärte Eisenhower.

„Sehr gründlich, Sir. Dazu wird es in der Zukunft vollkommen ausreichen, einen Knopf zu drücken, nachdem die entsprechenden Befehle erteilt worden sind."

„Ich werde solche Befehle niemals erteilen."

„Weil Sie Soldat waren und wissen, was es heißt, Männer in den Tod schicken zu müssen. Ihre Nachfolger können möglicherweise auf solche Erfahrungen nicht zurückgreifen."

„Sie haben Vorschläge?", fragte Eisenhower und sah gespannt auf den todkrank wirkenden, in seinem Bett liegenden Berater unzähliger Präsidenten dieses Landes. Der nickte nur und reichte ihm einen Ordner. „Ich habe alles vorbereitet. Eine gründliche Abstufung unserer Gefechtsbereitschaft. Nicht nur nach Gefahrenlage, sondern auch nach den Erfordernissen der jeweiligen Waffengattung."

„DEFCON?", wunderte sich der ehemalige General.

„Klingt griffiger, als defense readiness conditions. Sie wissen doch, Befehle müssen klar, kurz und präzise sein."

„DEFCON 1 sieht auch einen Nuklearschlag vor? Ich hoffe, soweit wird es nie kommen."

„Hoffen Sie. Meine Hoffnung geht sogar weiter. Ich möchte eine Politik, in der sich sogar DEFCON 2 vermeiden lässt."

Ort: Psyche, Scandia, Schloss Gripsholm

„Harry Hopkins ist mal wieder der Optimismus in Person", erklärte Kowalski, nachdem er die MindNetProjektion des gerade erzählten Gespräches in Washington verblassen ließ.

„Schade, dass Richard Renatus sein Alter Ego bald sterben lässt. Ein Verbündeter weniger auf dieser Welt", fügte Wihtania hinzu.

„Er muss ihn sterben lassen, weil er sich verpflichtet hat, diese Welt sterben zu lassen", schien es aus Ala Skaunia herauszurutschen. Die dann hinterher so tat, als täte es ihr leid, sich verplappert zu heben.

Wihtania funkelte sie böse an. „Er hat ein Abkommen mit Aidoneus, ihm diese Welt zu überlassen. Also muss er sich mit allen seinen Existenzen aus ihr zurückziehen."

„Warum überlässt er Psyche dem Tod, wenn er diese Welt nicht vernichten will?", fragte Ala Skaunia.

„Das hast du nicht verstanden?", staunte Wihtania. „Ich schon. Seine Pläne reichen immer viele hundert Jahre voraus. Er ist der einzige von uns allen, der die Zukunft nicht berechnen muss. Er kann sie sehen."

„Eine mögliche Zukunft", sagte Ala Skaunia verächtlich.

„Die auch immer eintritt", unterbrach sie Wihtania, „denn alles, was Richard in seinen Visionen sieht, findet auch statt. Irgendwann."

„Und da hat er gesehen, dass Aidoneus Psyche vernichten muss, weil das irgendwann wichtig ist?"

„Nein, Aidoneus muss irgendwann wichtig sein. Ein freier Aidoneus, mit menschlichen Zügen."

„Aber ich will diese Welt erhalten. Das erste Mal eine Welt, in der ich mich wohl fühle. Er darf sie nicht zerstören."

Kowalski war aufgestanden und hatte bei diesen Worten Ala Skaunia in die Arme genommen. „Wir werden dafür sorgen, dass ihm das nicht gelingt. Wir alle zusammen."

Ort: Psyche, (geheimes) Labor Nr. 2

„Sie ganz allein sind für die Sicherheit verantwortlich?", fragte der Direktor verblüfft. „Wie war gleich noch mal Ihr Name?"

Aidoneus lächelte beflissen. „Tainow, Genosse Direktor, einfach nur Tainow."

„Und Ihr Vor- und Vatersname?", fragte der Direktor immer noch misstrauisch.

Aidoneus sah ihn verwundert an. „Tainow ist ausreichend. Das steht in meinen Papieren."

Die Papiere waren das einzige, was den Direktor beruhigte. Die schienen direkt vom Moskauer Lubjanka Platz zu stammen.

Und dieser Tainow scheinbar auch.

Dass sie dem Chef der hier zuständigen GRU* Truppe nicht gefielen, verstärkte diese Annahme.

Aber dieser Mensch in seiner Unscheinbarkeit und seinem grauen Anzug entsprach keinesfalls des Direktors Vorstellungen vom Super-Geheimagenten.

Der musterte derweil die Rakete. „Unsere R 7. Nicht wahr? Und Sie sind Sergei Pawlowitsch Koroljow persönlich. Freut mich, Sie kennenzulernen."

Koroljow hatte sich vom plötzlichen Händeschütteln noch gar nicht richtig erholt, als ihn der Mann in Grau unterfasste und mit ihm zur Raketenstartrampe ging. „Da wollen wir uns das Baby einmal ansehen. Ich bin ebenfalls vom Fach, müssen Sie wissen. Und ich bin gespannt, ob ich bei Ihrem Prototypen Fehler oder Mängel feststellen kann."

Ort: Psyche, USA, Vandenberg Air Force Base

„Sie wollen in der Lage sein, Fehler oder Mängel festzustellen?", fragte der General erbost.

Aidoneus lächelte. „Ist Ihr erster Testflug etwa nicht in die Hose gegangen? Na also. Beim zweiten wird das nicht geschehen. Ich erkläre Ihnen, was Sie dafür richtig machen müssen."

---

* Glawnoje Raswedywatelnoje Uprawlenije, Hauptverwaltung Aufklärung, der sowjetische Militärgeheimdienst, auf dem Lubjanka Platz war die Zentrale des KGB, des zivilen Geheimdienstes, beide waren erbitterte Konkurrenten (Anm. des Chronisten)

Er hakte den verantwortlichen General unter und ging zu dessen Büro. „Sie hören zu, setzen es um und ich kann dann sowohl nach Washington, als auch beim SECNAV* Bescheid geben, dass alles bestens läuft und alles fehlerfrei funktioniert."

Aidoneus fühlte sich so wohl. Er schubste die Leute herum, aber die ließen sich schubsen, weil er die richtige Richtung kannte.

Auch wenn er in einem ebenso mickrigen Menschenkörper steckte, wie die Psychaner um ihn herum, war er ihnen doch geistig weit überlegen. Denn er wusste, wie das Universum tickte, kannte dessen Gesetze und erkannte aus diesem Grund sofort bestehende technische Fehler.

Deshalb schlug er gleich vor, die bisherigen Entwicklungen ruhen zu lassen und eine neue Rakete zu entwickeln. Hieß die alte Atlas A, sollte die neue als Atlas D bezeichnet werden, um so den gewaltigen Sprung nach vorn bei der Technologie zu unterstreichen.

Aidoneus benötigte nicht lange, damit ihm alle freiwillig und mit dem Feuereifer echter Entdecker folgten. Wenn man Menschen, die Fragen hatten, Antworten bot, die sich ständig als richtig erwiesen, ging der Rest von allein.

Was aber weder in der Sowjetunion, noch in den USA jemand mitbekam, war die Tatsache, dass der geheimnisvolle Helfer die ganze Zeit nach Sicherheitslücken in den Raketenanlagen Ausschau hielt. Entdeckte er eine solche, hielt er diese Tatsache seltsamerweise für sich.

Ort: Psyche, Schloss Ehrlichthausen, Schlosspark

„Es ist wichtig, dass wir uns die ganzen Sicherheitslücken merken, auf die Aidoneus nicht hinweist", erklärte Richard Renatus nochmals.

Maria Miseria nickte nur. „Er ist so einfach zu durchschauen. Schon immer."

„Weiß er, dass du gegen ihn arbeitest?"

„Er weiß es nicht. Aber ich werde es ihm bei Gelegenheit mitteilen. Ich fürchte nur, er wird eine Frau als Gegnerin nicht ernst nehmen."

„Du fürchtest? Ich hoffe darauf. Dass er mich als Gegner nicht ernst nimmt, weiß ich schon lange. Darauf basiert ja mein Plan", erklärte Renatus.

„Und darauf, dass sich Aidoneus il caskar als Verbündeten sucht?", fragte Maria.

„Darauf schon lange. Sie werden ein tolles Paar sein, die beiden. Mal sehen, wie sich il caskar entscheidet. Schließlich wollen auch die anderen, dass er auf ihrer Seite ist."

Ort: Psyche, Schloss Eberbach, Schlosspark

„Du musst dich entscheiden, auf welcher Seite du stehen willst", sagte il caskars Mutter.

„Die Entscheidung ist doch nicht schwer, Mutter. Ich stehe auf der Seite, auf der ich immer stehe. Auf meiner."

Frau von Eberbach sah ihren Sohn aufmerksam an. Das Jungenhafte und Unbekümmerte schien verschwunden zu sein. Seine arrogante Überlegenheit anderen gegenüber hatte er aber noch nicht abgelegt. Gegen die war schwer anzukommen. „Du kannst nicht immer alle anderen Götter gegen dich haben. Einige verfolgen vielleicht ähnlich Ziele, wie du. Möglich also, mit ihnen ein Stück des Weges gemeinsam zu gehen."

„Ich soll mir Verbündete suchen?", fragte er überrascht.

Sie nickte nur.

„Und mich dabei unterordnen? Niemals", erklärte il caskar in einem Ton, der jeden Widerspruch ausschloss.

Seine Mutter seufzte. „Ordnet sich Aidoneus irgendjemanden unter? Nein, das würde ihm nicht mal im Traum einfallen. Trotzdem hat er Verbündete unter den Göttern. Weil er denen nur das offenbart, was sie von seinen Plänen hören sollen. Davon kannst du lernen. Ich bin mir sicher, du hast Pläne. Nicht nur gegen Ala Skaunia und Kowalski."

„Darauf kannst du einen lassen, Mutter."

„Dann lass du deine Eigenbrötelei und nimm Bündnisse an, wo sie dir geboten werden. Geht mit beiden Fraktionen zusammen. Wer will dir das verbieten, so lange du es immer vor einer von beiden Seiten geheim hältst?"

Ort: Psyche, Schloss Ehrlichthausen, Schlosspark

„Vor mir können sie nichts geheim halten. Das ist mein großer Vorteil", erklärte Richard Renatus.

Maria sah ihn an. „Du hast gewaltig an Macht zugenommen, nachdem auch Sabota bei euch ist."

Renatus nickte. „Bleibt nur noch Harry Hopkins."

„Er liegt bereits im Sterben, nehme ich an? So dass niemand von seinem Ableben überrascht sein wird?"

Richard nickte mit falschem Bedauern. „Die Welt wird eine ärmere sein, ohne ihn", antwortete er ironisch. „Aber die US-Präsidenten dieser Welt werden vielleicht gelernt haben, sich die richtigen Ratgeber zu holen und auf diese zu hören, statt nur auf ihn."

„Vielleicht werden die anderen Götter irgendwann mal lernen, auf Richard Renatus zu hören", antwortete Maria mit ähnlich ironischem Unterton.

Richard tat, als ob er aus ehrlichstem Herzen heraus seufzte. „Das wird wohl noch ein paar Ewigkeiten dauern."

4. Kapitel   Fission[*]

„Die Genialität einer Konstruktion liegt in ihrer Einfachheit. Kompliziert bauen kann jeder."

Sergej Koroljow, Raketeningenieur, (Erde, 1907 - 1966)

Ort: Psyche, Berlin, Grunewald, Villa Kowalski

Aidoneus rührte in seinem Tee und sah dabei Ala Skaunia an. „Ich finde es schade", begann er, „dass eine so schöne Frau von so unbestreitbaren Talenten hier an der Seite ihres Mannes verkümmert."

„Ich verkümmere nicht", wehrte sich Ala Skaunia sofort.

„Ich weiß, du hilfst ihm. Deine Handschrift ist in allen Plänen deines Mannes deutlich zu erkennen. Er allein wäre gar nicht in der Lage, all die kleinen Bosheiten einzustreuen, die einem Plan erst die echte Würze geben und sein Gelingen garantieren."

Ala Skaunia schwieg diesmal und sah Aidoneus an, als wolle sie ergründen, welchen Zweck dessen kleine Bosheit gerade erfüllen sollte.

---

[*] engl. Spaltung (Fachbegriff für die Kernspaltung und die Atombomben)

Der grinste nur zurück und schien sich sicher zu sein, er sei die Unergründlichkeit in Person. „Warum scannst du nicht einfach meine Gedanken, um zu wissen, was ich will?" bot er ihr hilfsbereit an.

Ala Skaunia lächelte verächtlich. „Woher weiß ich nach diesem Scan, dass du mir nur etwas vorgemacht hast, um mich in die Irre zu führen?"

Aidoneus nickte anerkennend. „Schon so viel gelernt? Sieh einmal an. Dann muss ich zukünftig vorsichtiger sein? Das werde ich mir merken."

Kowalski hatte genug von diesem Geplänkel. Auch die Zeit und damit die Geduld von Göttern ist begrenzt. „Du hast gesagt, du wolltest uns ein Friedensangebot machen. Welcher Art soll dieses Angebot sein?", fragte er.

„Ich wollte darauf hinweisen, dass ich eure kleinen Bosheiten zu schätzen weiß, euch aber darum bitten, die eine oder andere größere Bosheit zu lassen. Ich würde mich dann mit ähnlichen Gefälligkeiten revanchieren."

„Größere Bosheiten?", tat Kowalski, als verstehe er nicht.

„Dieser Fritz Bauer zum Beispiel und seine Idee, ehemalige KZ-Mitarbeiter vor Gericht zu stellen", fing Aidoneus an.

„Das ist eine hervorragende Idee. Dieses Land hatte schon fast vergessen, was im letzten Krieg alles geschehen war. Die meisten Verurteilten wurden nach wenigen Jahren aus der Haft entlassen. Die meisten Schuldigen wurden gar nicht erst verurteilt. Das holen wir nun nach", erklärte Kowalski.

„Ich weiß, dass du ihn unterstützt. Das ist nicht gut. Ohne diese Unterstützung hätte er weniger Chancen."

„Weil nur wenige wollen, was er will? Es werden mehr."

„Macht es dir eigentlich Spaß, in alten Wunden zu rühren? Niemand benötigt die alten Feindbilder. Wir haben neue."

„Solange die Täter noch leben, haben wir auch die alten."

„Er wird einen furchtbar schweren Kampf auszufechten haben", deutete Aidoneus nur an.

„Das weiß er", war sich Kowalski sicher.

„Er wird einen frühen, mysteriösen Tod sterben."

„Deine übliche Taktik? Damit habe ich gerechnet."

„Weiß er das auch?", fragte Aidoneus.

„Das verstieße gegen Göttliches Recht, den Menschen die Art und den Zeitpunkt ihres Todes zu offenbaren. Tu es und ich klage dich an", erwiderte Kowalski mit Eiseskälte.

„Meinst du, ich tappe in die Falle, die ihr bereits il caskar gestellt habt? Niemals."

„Dann werden wir dir eine andere Falle stellen."

„Ich werde mich vorsehen", lächelte Aidoneus.

„Wir sind viele, Aidoneus, du nur einer. Ohne Verbündete wirst du scheitern."

„Wer sagt, dass ich keine Verbündeten habe?"

„Hast du?", fragte Kowalski spöttisch.

Aidoneus stand abrupt auf. „Finde es heraus", forderte er Kowalski auf und verneigte sich dann vor Ala Skaunia. „Gnädige Frau, es war mir wie immer ein Vergnügen, Ihre Gesellschaft genießen zu können. Auch wenn das leider die Gesellschaft Ihres Gatten einschließt."

Mit diesen Worten verschwand er in der RaumZeit.

„Was für ein interessantes kleines Arschloch", sah ihm Ala Skaunia sinnend hinterher.

„Und was für ein interessantes Gespräch", ergänzte Kowalski. „Einen seiner Hinweise werden wir sofort umsetzen. Wir werden dafür sorgen, dass du in Zukunft nicht mehr versauerst, sondern deine Talente allein entfalten kannst."

Ort: Psyche, Berlin, Grunewald, Villa Eberbach

„Ich versauere in diesem Land. Es gibt kaum noch Möglichkeiten, meine Talente hier zu entfalten", nörgelte il caskar.

Sein Vater schwieg dazu und seine Mutter sah ihn aufmerksam an. „Ich hätte da vielleicht eine Idee", deutete sie an, während sie an ihrem Tee nippte und auf eine Reaktion wartete.

il caskar wartete auf weitere Erklärungen. Also erklärte sie: „Mein Bruder hat Interessantes mit Psyche vor. Dinge, die sehr gut in unsere Pläne passen und deine endgültige Befreiung von der Fuchtel des Hohen Rates bewirken könnten."

„In die ihr mich erst gebracht habt", erwiderte il caskar.

„Aus der wir dich auch wieder rausholen können", entgegnete sein Vater barsch.

Seine Frau sah ihn kurz an und der General konzentrierte sich nur noch auf seinen Tee.

„Du hast bereits viel erreicht", begann il caskars Mutter und fuhr dann eindringlicher fort: „So viel, dass du kurz davorstehst, den Auftrag des Hohen Rates gänzlich zu erfüllen."

„Habe ich das?"

„Wer hat die Franzosen und die Deutschen so sehr versöhnt, dass sie erst eine Montanunion gegründet haben und nun dabei sind, eine Europäische Union ins Leben zu rufen? War nicht die europäische Einigung der Sinn deines richterlichen Auftrages?", fragte il caskars Mutter.

„Ich wollte nur eine starke Front gegen die Kommunisten im Osten schaffen", erwiderte il caskar.

„Der Grund ist egal. Es ist das Ziel, was zählt."

„Damit wäre ich frei?", freute sich il caskar.

„Und endlich in der Lage, deinen eigentlichen Zweck zu erfüllen", knurrte der General.

„Meinen Zweck?", verstand il caskar nicht.

„Stell dich doch nicht so dämlich an. Welchen Zweck haben Söhne?", blaffte ihn der General an.

„In die Fußstapfen ihrer Väter zu treten? Ich bin General."

„Aber immer noch ein mickriger Gott und noch nicht in der Lage, unsere Nachfolge anzutreten."

„Eure Nachfolge?"

„Die anderen Götter unserer Generation sind schon längst im Ruhestand", erwiderte il caskars Mutter sanft, ehe der General wieder knurren konnte. „Wir haben uns unseren Ruhestand ebenfalls verdient. Aber noch bist du nicht soweit."

„Ich soll eure Nachfolge antreten?", freute sich il caskar.

„Das war seit deiner Geburt unser Plan. Im Allgemeinen zeugt man deswegen Kinder. Dass wir hinterher so viel Arbeit mit dir haben, konnte ja keiner ahnen", knurrte der General.

„Aber nun sind wir alle auf einem guten Weg. Damit du nicht wieder von diesem abkommst, wollte ich dir vorschlagen, weiterhin mit meinem Bruder zusammenzuarbeiten", war die Mutter viel versöhnlicher.

„Mit Aidoneus? Er ist der Tod", verstand il caskar nicht.

„Und damit eine der ältesten und mächtigsten Gottheiten überhaupt. Genauso alt und mächtig, wie Unsere Göttlichkeit. Also lerne von ihm", forderte il caskars Mutter.

„Leute umzubringen?", verstand der nichts.

„Unsinn. Mit Einschränkungen fertig zu werden. Er ist auf seine Menschlichkeit beschränkt und kann einzig auf die Macht seines göttlichen Geistes zurückgreifen. Trotzdem haben die anderen zu tun, ihn im Griff zu behalten. Du hast deinen Götterkörper und deinen göttlichen Geist. Stell dir vor, welche Macht du hättest, wenn du dir seine Herangehensweise zu Eigen machst", erklärte il caskars Mutter.

Ort: **Psyche, im Geist von Aidoneus (eigentlich Frisco, 1540 Haight Street)**

„Das ist Aidoneus Herangehensweise?", fragte Sakania verblüfft. „Mehr steckt nicht dahinter?"

Takhtusho nickte. „Nicht mehr, aber auch nicht weniger."

„Aber was ist daran göttlich?", verstand Sakania immer noch nicht.

„Alles", freute sich Takhtusho darüber, einmal mehr zu wissen, als seine Frau. „Was er macht, ist eine uralte Taktik der Götter. Keiner weiß, dass er sich einmischt. Seine Unscheinbarkeit sorgt dafür, dass die Menschen ihn schnell wieder vergessen und sich selbst zugutehalten, was er bewirkt hat."

„Deshalb kann er problemlos auf beiden Seiten arbeiten?"

Takhtusho nickte. „Dabei stellt er sich viel geschickter an, als il caskar damals. Der hatte den Ruhm gesucht, während Aidoneus nur den Erfolg sucht. Nichts verstärkt die Macht einer Gottheit so sehr, wie Erfolg."

„Und was wollen wir gegen ihn unternehmen?"

„Gegen ihn? Nichts."

„Du kannst ihn doch nicht einfach so machen lassen", brauste Sakania auf.

„Wir müssen. Leider. Er ist auf Bewährung, verstößt aber noch nicht gegen seine Auflagen."

„Wie bringen wir ihn dann dazu, gegen seine Auflagen zu verstoßen?", wollte Sakania wissen.

„Wir machen die amerikanische und die europäische Friedensbewegung zu einer weltweiten", schlug Takhtusho vor.

„Durch Vernetzung?"

„Durch Vernetzung."

„Aber auf Psyche gibt es noch kein MindNet", wurde Sakania ein Problem bewusst.

„Doch. Die Leute schreiben Briefe, es gibt eine Post", hielt Takhtusho dagegen.

„Und damit vernetzen sie sich?"

„Geht nicht so schnell, wie übers MindNet, aber es geht."

„Wie?", verstand Sakania nicht.

„Indem man einen bestimmten Termin festlegt, an dem weltweit gegen das Wettrüsten demonstriert wird."

„Freitags, zum Beispiel?", schlug Sakania vor.

Takhtusho schüttelte den Kopf. „Freitagsdemos? Bekommst du in Deutschland nicht durch. Freitags sind die arbeiten. Das nehmen die ernst. Aber Ostern wäre gut."

„Ostern ist nur einmal im Jahr", hielt Sakania dagegen.

„Aber es ist ein sehr langes Wochenende. Eins, an dem die Medien nicht viel zu berichten haben. Das musst du auch mit einkalkulieren."

„Stimmt. Also Ostern und weltweit. Hauptsache, Aidoneus pfuscht uns nicht dazwischen", war Sakania einverstanden.

„Keine Angst. Er ist mit seiner Menschlichkeit noch nicht so vertraut. Er wird Fehler machen. Das lässt sich bei Menschen nie vermeiden."

„Götter machen keine Fehler."

„Aber Menschen schon. Also passen wir erst einmal auf, dass er die Fehler macht, die für uns von Nutzen sind. Da müssen wir nicht einschreiten. Aber ich bin mir sicher, er hat immer noch nicht seinen Plan aufgegeben, Psyche ganz zu vernichten. Der Tod einer Welt würde ihm eine Macht verschaffen, der wir nichts mehr entgegenzusetzen hätten. Nur du kannst ihn aufhalten, weshalb er die Idee hatte, dich gegen deinen Vater auszuspielen", erklärte Takhtusho seinen Plan.

„Mein Vater brachte mich dazu, nicht Aidoneus", protestierte Sakania, die mit Takhtushos geplantem Vorgehen immer noch nicht einverstanden war.

Takhtusho nahm die Diskussion aber nicht an, sondern stand auf. „Wer dich dazu brachte, ist doch egal. Wichtig ist, dass uns hunderttausende Menschen folgen werden, die das Gleiche wollen wie wir. Frieden und Einigkeit aller Menschen. Gehen wir zu ihnen?"

Sakania nickte nur und stand ebenfalls auf.

Da kann man ja das große Kotzen kriegen, dachte Aidoneus. Das sind die Götter der Zukunft? In bunte Batikgewänder gehüllte, langhaarige Gestalten, bei denen man kaum noch erkennen kann, wer Männlein und wer Weiblein ist?

Von denen sollte keine Gefahr ausgehen. Außerdem ist mein Plan, wie ich Psyche vernichte, narrensicher und von keinem dieser Götter zu verhindern.

Ort: Psyche, Sowjetunion, (geheimes) Labor Nr. 2

„Wie wollen Sie verhindern, dass uns jemand belauscht, Genosse Tainow?", fragte der Oberst.

„Wir sind in meinem Büro. Da kann mich keiner belauschen. Glauben Sie mir einfach, dass es so ist", erwiderte Aidoneus, während er mit einer Geste seinen Gast aufforderte, Platz zu nehmen.

Der setzte sich und sah ihn an.

„Sie müssen erstaunliche Beziehungen haben, wenn Sie mich so einfach aus meiner Dienststelle herausgeholt haben, um mich hierher zu bringen", stellte der Oberst fest.

„Ich hielt Sie für den, der am besten für die Aufgabe geeignet ist, die ich Ihnen anzubieten habe", sagte Aidoneus in einem Ton, als rede man übers Wetter.

„Ich soll dieses Geheimlabor bewachen?", vermutete der KGB-Oberst.

Aidoneus nickte. „Sie werden die Soldaten befehligen, die die Wache bilden. Ich will es so und das Politbüro des ZK der KPdSU vertraut mir und meinen Fähigkeiten."

„Ihren Fähigkeiten? Sind Sie auch vom KGB? Ich habe noch nie von Ihnen gehört", war der Oberst skeptisch.

„Sie werden auch niemals von mir hören. Aber Sie sollen erfahren, was ich für Fähigkeiten habe. Was halten Sie von diesem Foto?", fragte Aidoneus und gab es ihm.

Der Oberst besah es sich, wurde bleich und zog Aidoneus an dessen Krawatte zu sich heran. „Wo hast du das her?"

„Tun die Erinnerungen an diese Frau immer noch so weh?", meinte Aidoneus in so übertriebenem Mitleid, dass es fast beleidigend wirkte, während er sich ohne Mühe aus dem Griff des KGB-Offiziers befreite.

So sprachen nur sehr hohe Parteibonzen mit einem Oberst des KGB. Der setzte sich wieder richtig hin. „Die Erinnerungen? Niemand weiß, dass ich sie kannte."

„Ich weiß es. Und weil ich es weiß, habe ich die aufgesucht, die für ihren Tod verantwortlich waren."

Der Oberst sah ihn an und überlegte eine Weile.

„Verstehe", sagte er dann, „SMERSch existiert noch. Die Organisation wurde nicht aufgelöst."

„Man muss ja nicht alles, was sich bewährt hat, übern Haufen werfen, nur weil der Zar gestorben ist", blieb Aidoneus dunkel. „SMERSch war eine gute Waffe, die unsere Feinde erzittern ließ. So etwas gibt niemand aus der Hand. Und sie ist nützlich. Gegen all unsere Feinde."

„Ihr habt ihre Mörder umgebracht?", hoffte der Oberst.

„Sie sind genauso gestorben, wie die Frau, die sie ermordet haben", erwiderte Aidoneus sehr ernst.

„Du weißt, wie sie gestorben ist?"

Aidoneus schnippte eine MindNetProjektion heran. „Sie können sich gern ansehen, wie sie gestorben ist."

Ort: Psyche, Fort Worth, Texas

„So ist sie gestorben?", fragte der Colonel entsetzt.

Aidoneus nickte. Mitleid zeigend. „Die Russen sehen es nicht gern, wenn Agentinnen in ihre militärischen Sperrgebiete vordringen. Egal, wie hübsch sie sind. Wie Sie sehen konnten, war das ihr Nachteil. Einen Mann hätten sie nie so sterben lassen."

„Sie war amerikanische Staatsbürgerin. Sie hatten kein Recht, sie zu ermorden."

„Die Russen sehen das anders. Sie haben sogar eine Organisation dafür. SMERSch. Das heißt „Tod den Spionen". Wie Sie sehen, lieber Colonel, halten die sich daran."

„Sie haben das Recht, einfach so fremde Staatsbürger zu ermorden?", verstand der amerikanische Oberst nicht.

„Wenn es um die nationale Sicherheit geht, dann darf das Ihr Präsident ebenfalls anordnen", erinnerte ihn Aidoneus

„Der lässt aber niemanden zu Tode foltern."

„Über Geschmäcker lässt sich nun mal nicht streiten", erwiderte Aidoneus in einer Ernsthaftigkeit, die bei seinem Gegenüber jede aufkommende Wut im Keim erstickte.

„Ich habe sie geliebt." Mehr brachte er nicht heraus.

Aidoneus meinte, die Vorbereitung wäre nun ausreichend, man könne zur Ernte schreite. Mit der nötigen Bitterkeit sagte er deshalb: „Die Videoaufzeichnungen zeigen, dass die es geliebt haben, sie zu foltern."

„Wie kann man jemanden so foltern? Die Kommunisten sind keine Menschen. Menschen sollten zu solchen Dingen nicht fähig sein."

„Wie Sie sehen, sind sie das. Das wirklich widerwärtige daran ist, dass die ebenso mit ihrem eigenen Volk umgehen. Ungestraft", streute Aidoneus noch Salz in die Wunde.

„Für solche Menschen sollte kein Platz in unserer Welt sein", begann in dem Oberst eine Entschlossenheit zu reifen, die Aidoneus vielversprechend fand.

„Ich stimme Ihnen vollkommen zu", mimte er deshalb gut dosierte Empathie. „Trotzdem wird die USA keinen Krieg gegen sie führen. Schade, eigentlich. Es sei denn …"

Ort: Psyche, Sowjetunion, (geheimes) Labor Nr. 2

„… wir würden angegriffen. Dann müssten wir uns natürlich verteidigen", erklärte Aidoneus.

„Das müsste das Politbüro entscheiden. Aber diese Feiglinge werden niemals einen Krieg mit den Amerikanern wagen", erwiderte der Oberst verächtlich.

„Aber Sie, mein lieber Oberst, Sie würden den Krieg mit den Amerikanern wagen. Habe ich recht?"

„Allein kann ich keinen Krieg führen."

„Ich kenne tausende, die Ihre Ansicht teilen. Auch ganz oben im Politbüro", lockte Aidoneus.

„Meinen Sie, die sind so mutig, und lösen Chruschtschow ab, damit wieder Ordnung in dieses Land einkehrt?", fragte der Oberst verächtlich zurück.

„Nein. Es sei denn, wir stellen sie vor vollendete Tatsachen. Sobald die ersten sowjetischen Atomwaffen in den Vereinigten Staaten explodiert sind, geht der Rest von allein."

„Solche Befehle wird das Politbüro niemals erteilen."

„Die Rodina hat immer Menschen gefunden, die wussten, was zu tun war", schubste Aidoneus den Oberst in die richtige Richtung.

„Verstehe. Die Offiziere der Trägersysteme müssten den Mut haben, aus eigenem Ermessen zu handeln."

„Sehr gut. Sehen Sie, Genosse Oberst, solche Offiziere suche ich", warb Aidoneus.

„Und wenn Sie sie gefunden haben?"

Ort: Psyche, Fort Worth, Texas

„Wenn ich sie gefunden habe, erkläre ich ihnen, wie man den Krieg gegen den Ostblock gewinnen kann und muss. Was ich verlange, ist absolute Geheimhaltung jedem anderen gegenüber und entschlossenes Handeln, wenn es soweit ist."

„Und wann ist es soweit?", fragte der Colonel.

„Wenn unsere Raketen einsatzbereit sind. Bald werden die in der Lage sein, jeden beliebigen Punkt dieser Welt zu erreichen. Mit Bomben an Bord, gegen die die Hiroshimabombe eine Knallerbse ist."

„Die Russen werden auch solche Bomben haben."

Aber sicher, dachte Aidoneus, wo bliebe denn sonst der Spaß an der ganzen Sache.

„Dann müssen wir umso schneller und rücksichtsloser zuschlagen. Trauen Sie sich das zu?", fragte er stattdessen.

„Allein? Niemals", kam die sofortige Antwort des Obersts.

„Kluge Bemerkung. Wir werden viele sein. Aber nur ich werde alle kennen. Sie werden nur mich kennen. Genau, wie die anderen. Bis es soweit ist."

„Woher wissen wir dann, wer mit uns ist?"

„Vertrauen Sie mir. Und denken Sie an Ihre Wut. Suchen Sie die bei anderen. Das wird Ihnen helfen, Ihre Verbündeten zu erkennen."

Ort: Psyche, im Geist von Aidoneus

„Ich soll dir helfen können? Dein Verbündeter sein?", fragte Paulos überrascht.

„Ich weiß, du traust dir das nicht zu. Aber ich weiß auch, du kannst es. Irgendjemand muss schließlich meinen Job weiter machen, wenn ich tot bin", antwortete Richard.

„Wer soll schon den großen Harry Hopkins ersetzen?"

„Du."

„Niemals. Ich kann das nicht", war sich Fjölnir sicher.

„Du kannst das nicht? Du machst es schon die ganze Zeit, seitdem dich dein Großvater aus der Verbannung zurückgeholt hat. Das hat er nicht nur deiner Mutter zu Liebe getan, sondern auch, weil deine Geschwister deine Unterstützung benötigen. In diesem Land."

„Ich bin kein Krieger. Auch wenn ich gern einer wäre. Ich werde immer ein Feigling sein", wehrte Fjölnir ab.

„Meinst du? Dann werde ich dir mal ein paar sehr mutige Taten aufzählen: Da war einmal jemand, der hat mit seiner Artikelserie in der „Washington Post" dafür gesorgt, dass sich dieses Land wieder Vereinigte Staaten von Amerika nennt. So, wie sie schon seit fast tausend Jahren heißen. Und das, obwohl die britannische Kolonialmacht alles getan hatte, diesen Namen für immer aus der Geschichte Psyches zu verbannen und vergessen zu machen."

„Das war nur gerecht und richtig. Was wahr ist, muss wahr bleiben", erwiderte Fjölnir.

„Selbiger Journalist hat mit seinen Artikeln dafür gesorgt, dass dieser komischen Bewegung im sonnigen, heißen Kalifornien nicht nur Hass entgegenschlägt. Ganz im Gegenteil. Sie ist nun so populär, dass man sie bald als weltweite Jugendkultur akzeptieren muss. Ob man will oder nicht. Die Hippies sind hip."

„Sakania und Takhtusho wollen Frieden auf Psyche. Was sollte ich dagegen haben? Die vielen tollen Artikel über sie waren gerechtfertigt", verteidigte sich Fjölnir.

„Aber vielleicht merkst du nun, welche Macht du besitzt? Man muss kein Krieger sein. Manchmal ist die Feder stärker als das Schwert. Ich würde an deiner Stelle mein Vollbürgerschwert wieder annehmen und mich dem Neuen Hohen Rat anschließen. Mächtig genug bist du für diesen Posten."

Aidoneus beobachtete Fjölnir, alias Paulos Pantonostis genau. Er hatte Hoffnungen auf den Jungen gesetzt. Aber, wie es aussah, gönnte ihm Richard Renatus über sein Alter Ego Harry Hopkins diesen Verbündeten nicht.

Aidoneus überlegte gerade, ob, und vor allem, wie er noch eingreifen könnte, da sagte Fjölnir: „Ich halte mich aus allen Kämpfen raus. Mein Vollbürgerschwert ist ein Symbol. Mehr nicht."

Harry Hopkins nickte lächelnd. „Eigentlich hatte ich es auch nur als solches geplant. Eine Waffe sollte es nie werden."

Aidoneus nahm das ganze sportlich. Gut, Harry Hopkins hatte Fjölnir gerade für den Neuen Hohen Rat gewonnen. Machte nichts. Denn Aidoneus hatte andere. Bessere.

Ort: Psyche, Berlin, Grunewald, Villa Kowalski

„Einen besseren Verbündeten als il caskar kann sich Aidoneus doch gar nicht wünschen", meinte Ala Skaunia verächtlich. „Warum soll er sich noch andere suchen?"

„Weil er einen ganz bestimmten Plan hat. Einen, den er bis jetzt erfolgreich vor uns verbergen konnte", erwiderte Kowalski und ließ gleichzeitig verschiedene 3D Bilder von Menschen zwischen ihm und seiner Frau erscheinen.

„Sieh sie dir an", forderte er sie auf. „In den Köpfen dieser Menschen ist sein Geist sehr oft gewesen."

„Was soll daran Besonderes sein? Er ist in noch viel mehr Köpfen gewesen. So lernt er, ein Mensch zu sein."

„Stimmt. Aber das sind seine erklärten Lieblinge, zu denen er immer wieder zurückkommt. Da wäre einmal diese junge Frau. Britin, aus ältestem Hause, aber vollkommen angeödet von all dem Schönen, das ihr ein Leben in der Upperclass bieten kann."

Ala Skaunia sah sich ihr Bild eine Weile an.

Dann drehte sie sich zu Kowalski um. „Du hast recht. Es gibt tausende wie sie. Warum hat er sich gerade diese Frau ausgesucht?"

„Diese Frage könnte man auch bei den anderen stellen", erläuterte Kowalski. „Alle, Männer wie Frauen, haben ähnliche Profile, denen eins gemeinsam ist: Sie haben wichtige Menschen verloren und wollen sich dafür rächen. Oder sie haben einfach nur Freude am Zerstören. Stellt sich nur die Frage: Was sollen sie zerstören?"

Ort: Psyche, Berlin, Grunewald, Villa Eberbach

„Du willst Psyche zerstören", behauptete il caskar, kaum dass er Aidoneus begrüßt hatte.

„Wer erzählt denn solchen Blödsinn?", fragte der und setzte sich unaufgefordert hin.

„Meine Eltern. Also muss es stimmen. Sie sind sehr mächtige Götter. Vor ihnen kannst du deine Pläne nicht verbergen."

„Möglicherweise haben sie etwas falsch verstanden", erklärte Aidoneus in einem Ton, den manche Erwachsene uneinsichtigen Kindern gegenüber haben. „Als mich Richard Renatus aus meinem göttlichen Gefängnis freiließ, geschah das natürlich nicht ohne Bedingungen. Eine davon war, das Problem Psyche endgültig zu lösen."

„Das schaffst du am schnellsten, wenn du diese Welt zerstörst", beharrte il caskar.

„Ach, il caskar, du bist immer noch so herrlich naiv. Wenn ich diese Welt zerstöre, bringe ich mich sehr rasch wieder ins Gefängnis. Dazu habe ich keine Lust. Das müsstest du doch am besten verstehen. Wir sind beide auf Bewährung draußen."

„Ja, aber meine Bewährungszeit ist bald um. Gestern wurden in Rom Verträge unterschrieben, mit denen die Europäische Wirtschaftsvereinigung ihren Anfang nimmt. Meinen Auftrag, ein friedliches, vereintes Europa zu schaffen, habe ich also bald erfüllt", erklärte il caskar nicht ohne Stolz.

„Ach. Und die Staaten Europas, die sich im sowjetischen Einfluss befinden? Östlich des Eisernen Vorhangs? Gehören die auch dazu?", fragte Aidoneus.

„Die haben ebenfalls eine Wirtschaftsvereinigung gegründet, in der sie zusammenarbeiten."

„Wenn alles so friedlich ist, warum stehen sich dann an der Grenze zwischen den beiden Pakten hochgerüstete Armeen gegenüber? Spricht man nicht vom Kalten Krieg?", tat Aidoneus, als habe er etwas falsch verstanden.

„Der wird aber niemals zu einem richtigen Krieg führen. Alle haben Angst davor, irgendjemand könne Atomwaffen einsetzen. Das wäre das Ende ihrer Welt und das wissen sie", erklärte il caskar mit echter Überzeugung.

„Diesen Plan, den der Hohe Rat schon seit Jahrhunderten verfolgt, kenne ich. Du hast da gut reingepasst. Die anderen Mitglieder deiner sogenannten Rebellen-Community übrigens auch. Es würde mich ankotzen, an den Fäden des

Hohen Rates zu zappeln, und auch noch stolz darauf zu sein", erwiderte Aidoneus spöttisch.

„Renatus hat dich freigelassen. Meinst du nicht, er hat dich ebenfalls mit unsichtbaren Fäden versehen, an denen er dich lenkt?", fragte il caskar, ebenfalls nicht ohne Spott.

„In diesem Glauben lasse ich ihn die ganze Zeit."

„Ich habe auch geglaubt, ich hätte alles im Griff ..."

„... aber ich weiß es", unterbrach ihn Aidoneus barsch, „denn mein Geist ist viel stärker, als der von Richard Renatus. Weil ich mich nicht an Grundsätze gebunden fühle. Dieses Gespräch zum Beispiel, kann niemand abhören. Wir können also ganz ungezwungen reden."

„Ich habe auch immer geglaubt, mich könne keiner belauschen. Ein Irrtum, wie sich später herausstellte."

„Du misstraust meinen Fähigkeiten? Das ist verständlich. Frage deine Eltern, frage Kowalski oder deine Ex, ob es auch nur einem von ihnen gelungen ist, in meine Gedanken einzudringen. Wenn dich das Ergebnis befriedigt, komm zurück. Aber zögere nicht zu lange. In einiger Zeit werde ich keine weiteren Verbündeten mehr brauchen."

Ort: Psyche, Berlin, Grunewald, Villa Kowalski

„Er braucht weitere Verbündete, das wird es sein", beendete Kowalski seine Überlegungen. „Das Bündnis mit il caskar ist nur vorgetäuscht, um uns Sand in die Augen zu streuen."

„Meinst du? Klingt plausibel. il caskar hat noch nie mitbekommen, wenn ihn jemand verarscht. Der sieht nur, was er sehen will", stimmte ihm Ala Skaunia zu.

„Und Aidoneus sorgt dafür, dass es uns genauso geht. Zum Glück haben wir es rechtzeitig bemerkt. Dabei hätte es uns viel früher auffallen sollen."

Ala Skaunia verstand nicht, was Kowalski meinte.

„Namen", gab er ihr einen Tipp, „denk an die Namen, die sich Götter geben. Kummer bedeutete nicht nur die Trauer des betroffenen Gottes über den Verlust seiner Frau, sondern auch, dass er sich darum kümmern würde, sie wiederzugewinnen. Das hat Richard Kummer dann auch gemacht. Sehr gründlich sogar. Sabota heißt das gleiche auf Russisch."

„Aidoneus bedeutet, dass er im Verborgenen tätig ist. Wir können ihn nicht belauschen und es fällt uns schwer, in seine Gedanken einzudringen", verstand Ala Skaunia.

„Gerade das ist nicht schwer, weil seine Mittel begrenzt sind. Noch ist er nur ein göttlicher Geist in den Beschränkungen eines menschlichen Körpers. Aber diese Beschränkungen kann man umgehen."

„Indem man sich menschliche Verbündete sucht, denen man von seinem Geist abgibt," wusste Ala Skaunia.

„Und so Macht auf der gesamten Welt ausübt, in der man Einfluss gewinnen will", beendete Kowalski ihre gemeinsamen Erkenntnisse.

Allerdings kam er zu einer seltsamen Schlussfolgerung aus dieser Erkenntnis. „Zieh dich aus Ala Skaunia."

„Schon wieder? Hast du von heute Morgen nicht genug?"

Kowalski lächelte, während er sich bereits auszog. „Wir wollen mit einem sehr feurigen Wesen sprechen. Kleidung wäre da nur hinderlich. Sie würde verbrennen. Wir reden mit Ricardo Bellator. Du kennst ihn bereits. Wir haben gegeneinander gekämpft. Reiß dich bitte zusammen, wenn du ihm begegnest, denn der Mann ist genau dein Typ."

Ort: Psyche, Scandia, Schloss Gripsholm

Ricardo Bellator war Ala Skaunias Typ. Obwohl (oder weil?) er dem schwarzen Herzog so ähnlich war.

Er war bestimmt ein feuriger Liebhaber, denn er bestand hauptsächlich aus rotglühender Lava. Nur seine Haare waren aus dunkelster Asche geformt.

Er schien sichtlich erfreut, eine Frau zu sehen. Seinem Lavaköper konnte man das ansehen.

Obwohl er im tiefsten Verließ des Schlosskellers eingesperrt war, strahlte der dunkle Granit der Wände eine starke Wärme zurück, die bis ins tiefste Gestein gespeichert war.

Seinetwegen.

„Unser Kampf ist noch nicht zu Ende", knurrte er Kowalski an, als der ihn begrüßte.

„Welcher Kampf?", entgegnete Kowalski harmlos. „Wir haben nur Mitglieder unseres Neuen Hohen Rates verteidigt. Erfolgreich, wie du weißt."

„Mit der Hilfe von Heimdall. Das ist unfair."

„Wie wäre es, wenn ich dir einen Kampf biete, der fairer ist?", lockte Kowalski.

„Gegen wen?"

„Gegen Aidoneus. Ich weiß, du hast noch eine Rechnung mit dem Gott des Todes offen."

„Das weißt du? Niemand kennt mein Geheimnis."

„Doch. Ich kenne es. Ich weiß, warum du als Lavawesen im Inneren Psyches eingesperrt warst", behauptete Kowalski.

„Woher weißt du das?"

„Von dem, der dich eingesperrt hat. Er hatte, genau wie du, großen Kummer."

„Und er hat es dir verraten? Warum?"

„Weil die, wegen der du solchen Kummer hast, noch lebt."

Die Reaktion des Lavawesens war erstaunlich. Der ganze Raum war plötzlich von glühender Lava erfüllt. Das Gebrüll, das er dabei ausstieß, musste auf ganz Psyche zu hören sein. Er war sehr, sehr wütend.

Allerdings nur für kurze Zeit.

Ala Skaunia und Kowalski hatten diesen Wutausbruch unbeschadet überstanden. Auch dank ihrer Nacktheit.

Kowalski schüttelte nur tadelnd den Kopf. „Immer noch das alte cholerische Temperament. So warm, wie die Wände sind, bricht es immer wieder aus dir heraus."

„Und ihr könnt nur die einsperren, die nicht in eure Pläne passen. Etwas anderes konntet ihr noch nie."

„Wieso, du passt doch in unsere Pläne. Hilf uns gegen Aidoneus, dann sage ich dir, wo die ist, die du liebst, und helfe dir, sie zu finden", bot Kowalski an.

Diesmal äußerte sich die Wut des Lavawesens nur in verächtlichem Gelächter. „Sie finden? Sie ist tot."

„Sie lebt. Sie ist nur gut versteckt. So, dass du sie nicht mehr spüren kannst. Man hat sie absichtlich gut versteckt. Sie hat sehr gefährliche Feinde."

Nun wurde das Lavawesen doch aufmerksam. „Sie hatte nur einen Feind. Nenn mir seinen Namen und ich vertraue dir vielleicht."

„Seinen Namen kenne ich nicht. Ich weiß nur, wie ihn die anderen nennen: Megalodon."

Intermezzo 2

Die Geschichte entwickelt sich heutzutage ziemlich schnell weiter und die Rollen der Helden und Bösewichte werden laufend vertauscht.

Ian Fleming, „Casino Royale", (Erde, 1954)

Ort: Erde, Biluthu, Nouerto See

Takhtusho betrachtete den großen See mitten in der Wüste.

Er hatte von diesem See geträumt. Was ihn stutzig machte. Denn Takhtusho träumte nie. Bisher. Manchmal hatte ihn Sakania mit in ihre Träume genommen. Aber das war nicht mehr nötig. Die Selachii ließen sie inzwischen in Ruhe. Scheinbar mochten sie keine schmerzlichen Niederlagen.

Takhtusho mochte keine offenen Fragen. Eine Frau, so schön, so weiblich, dass sie rechtfertigte, von ihr zu träumen, war ihm in seinem allerersten Traum seines Lebens erschienen und hatte ihn an diesen See verwiesen.

Der schien in seiner Rätselhaftigkeit Götterträume zu rechtfertigen. Der See war nämlich tief. Sehr tief. Wenn Takhtushos Sinne nicht täuschten, und das taten sie nie, reichte seine Tiefe bis in die Mitte des Multiversums.

In den Orcus. Dort sollte die sagenhafte Welt der Orca und der Selachii existieren. Und in der sollte die Antwort auf die wichtigste Frage der Medem-Zwillinge zu finden sein:

Wo kamen sie her und wer war ihre Mutter?

Ihren Vater hatten sie inzwischen gefunden.

Der war ein Mensch. Auch wenn er kaum noch Menschliches an sich hatte.

Und ihre Mutter?

War sie vielleicht sogar eine Selachii? In dieser Welt würde er es spüren. Nahm sie ihn auf, war er ein Teil von ihr, dann stammte seine Mutter von dort.

Antworten erhoffend, sprang Takhtusho nackt in das tiefe Wasser des Nouerto Sees.

Er spürte sofort, wie feindlich diese Umwelt war. Ein Biotop für richtige, echte Krieger. Es war einfach nur herrlich. In ihr zu überleben, verlangte höchste Konzentration.

Ort: Terra Nostra, Pembroke Castle

Sophia Demeter betrachtete die MindNetProjektion des Gespräches von Ala Skaunia, Kowalski und Ricardo Bellator im Verließ von Gripsholm mit höchster Konzentration.

Le Marechal stand direkt hinter ihr.

Er war genauso aufmerksam wie seine Frau.

„Wer hätte gedacht, dass es doch so schnell geht", sagte er, als die Übertragung und damit auch das Gespräch im Kerker beendet war.

„Wir haben so lange und so hart daran gearbeitet, dass wieder Normalität in unser Leben einziehen kann. Trotzdem ist es ein komisches Gefühl, dass endlich all das bald zu Ende ist", kam es dumpf von ihr.

„Seine Ungeduld ist gefährlich. Wenn er das Angebot von Aidoneus annimmt, statt das von Ala Skaunia und Kowalski, fangen wir wieder von vorn an."

„Der Gefahr war ich mir von Anfang an bewusst. Von dem Moment an, wo er die Dummheit beging, sich mit Psyche zu vereinen, nur weil sie gestorben war."

Le Marechal kannte die Geschichte und fragte deshalb nicht weiter. Er wusste, wie schmerzlich die Erinnerungen noch immer für Sophia waren.

„Weißt du, was mir die ganze Zeit über meine berechtigte Wut hinweggeholfen hat?", fragte sie.

Der Chevalier schüttelte nur den Kopf.

„Komm mit. Ich zeige es dir."

Ort: Psyche, Schloss Gripsholm

„Nein, ihr zeigt, dass ihr es beherrscht. Es ist eure Welt. Sie zu beschützen, ist eure Aufgabe. Also ist es auch euer Neuer Hoher Rat. Wir sind nur hier, weil unsere Aufgabe noch nicht abgeschlossen ist", sagte Alexandra freundlich, aber sehr bestimmt.

Gegen ihre Worte ließen sich kaum Argumente finden, dachte Kowalski und sah Huldrich und Gerrich an, die nach Richards Familie und den Eltern von il caskar, die sich deutlich am Rande hielten, die ältesten Gottheiten im Raum waren.

„Wir sind in diesem Schloss nur zu Gast", meinte Huldrich lächelnd, *„während du eingeladen hast, so dass dir der Vortritt gebührt. Wen würdet ihr denn vorschlagen?"*

„Könnt ihr mal mit dieser gegenseitigen Rücksichtnahme aufhören und zur Sache kommen", maulte il caskar. „Wenn ich noch mehr Freundlichkeit erlebe, muss ich kotzen."

„Ach so? Ich dachte eher, es kotzt dich an, dass keiner auf die Idee gekommen ist, dich zum amtierenden Vorsitzenden unseres Neuen Hohen Rates zu machen", antwortete Ala Skaunia mit leichtem Spott.

il caskar wollte gerade zu streiten beginnen, aber seine Mutter unterbrach schon diesen Versuch. „Ala Skaunia übernimmt die Leitung des Neuen Hohen Rates", erwiderte sie barsch „natürlich zusammen mit Sakania."

„Wie bitte? Ausgerechnet die beiden?", fauchte il caskar seine Mutter an.

Die sah nur kurz und kalt zurück. Und dann in die Runde. „Ist noch jemand gegen meinen Vorschlag? Nein? Dann betrachte ich ihn als angenommen. Kommen nun wir nun zum eigentlichen Zweck unseres Treffens. Wir müssen uns einigen, wie wir die Ziele dieses Neuen Hohen Rates erreichen können."

Ort: Selachii

Takhtusho musste sich keine Mühe geben, Selachii zu erreichen. Der Sprung in den See genügte. Dann hatte ihn diese Welt aufgenommen. Wie einen alten Bekannten.

Das „Wasser" hier war eigentlich ein Gasgemisch. In seiner Zusammensetzung der Erdatmosphäre ähnlich. Es ließ sich atmen. Aber nur von einem Gott.

Einen Menschen hätte es längst zerquetscht, so hoch war hier der Druck. Oder er wäre plötzlich in eine Mumie verwandelt worden. Oder in einen Fötus. So inkonstant war hier die RaumZeit.

Diese Welt ging unter. Das spürte Takhtusho sofort. Und er gehörte hierher. Auch das spürte er.

Er besaß die Fähigkeit, sich in einen Selachii zu verwandeln. Sein Körper schrie geradezu danach. Und Takhtusho war neugierig genug, diesem Schreien nachzugeben und wäre bald zu einem riesengroßen Hai geworden.

Dann sah er überrascht zu dem riesengroßen Weißen Hai.

Der riesengroße Weiße Hai sah böse zu Takhtusho. Seine Miene ließ etwas anderes als einen bösen Blick gar nicht zu.

Takhtusho lächelte. Er konnte die Gedanken des Hais erkennen. Sie wollten in seinem Kopf dröhnen. Aber er konnte sie zu einem Flüstern dämpfen.

Der riesengroße Weiße Hai war so etwas wie ein Wächter. Und böse darüber, in diesem bequemen und langweiligen Posten plötzlich gestört worden zu werden.

Von Futter.

„Ich bin kein Futter, ich bin ein Gott", dachte Takhtusho.

Der Hai zögerte kurz.

Dann schwamm er näher. „Du bist ein Mensch", signalisierten seine Gedanken. „Menschen sind Futter."

„Haie sind Futter und Haifischflossensuppe ist lecker", erwiderten Takhtushos Gedanken. „Mal sehen, wer mehr Hunger hat. Ich habe noch keinen kennengelernt, der mehr Hunger hat als ich. Aber ich bin eigentlich nicht hier, um zu essen. Ich verfolge einen ganz anderen Zweck."

Ort:　Terra Nostra, Pembroke Castle

„Das war der Zweck? Dafür hast du dir deine eigenen Räume in der Burg eingerichtet?", fragte der Chevalier erstaunt.

„Ich dachte, du kommst von selbst darauf."

„Ich mache mir doch keine Gedanken, was du mit deinen Freiräumen anstellst. Du bist meine Frau, nicht meine Sklavin. Ich habe sie dir gegeben und danach keinen Gedanken mehr daran verschwendet. Die Burg ist groß. Wir haben genug Platz. Allerdings ist das Ergebnis deiner Bemühungen einer mittelalterlichen Burg angemessen."

„Aber ich bin nicht Victor Frankenstein"

„Nein. Deine Schöpfungen sind wie immer perfekt."

Ort:　Psyche, Schloss Gripsholm

„Ist nun alles perfekt?", fragte il caskar. „Können wir den ganzen Scheiß endlich beenden?"

„Du hast doch wichtige Aufgaben übertragen bekommen. Was beschwerst du dich?", fragte Kowalski.

„Da fragst du noch? Ich bin Mitglied im Neuen Hohen Rat. Ich fass es einfach nicht. Ich? In einem Hohen Rat? Wie konnte ich so tief sinken? Aber eines beruhigt mich. Viel tiefer kann ich nicht mehr sinken."

„Sei dir mal nicht so sicher", stichelte Ala Skaunia. „Ich könnte dir die Leitung übertragen. Dann wärst du nicht nur wichtig, sondern hättest auch Verantwortung."

„Zum Glück hat mich meine Mutter davor bewahrt. Wenn sie nicht darauf gedrängt hätte, dass das Treffen heute notwendig ist, damit ich endlich von meiner Verurteilung freikomme, wäre ich nicht hier."

„Um dieses Ziel zu erreichen, machst du das, was wir abgesprochen haben?", fragte Kowalski.

„Das geht sowieso schief. Meinst du, Aidoneus weiß nicht, dass ich ihn beobachte?", äußerte il caskar seine Bedenken.

„Wusstet ihr nicht, dass Michael Arx im Hohen Rat war, als er eurer Rebellen Community beitrat?", hielt Kowalski dagegen.

„Natürlich wussten wir das. Er war ihr Spion. Aber wir hatten die Sache jederzeit im Griff", antwortete il caskar mit seiner gewohnten Großspurigkeit.

Kowalski nickte. „Siehst du, genau diesem Irrtum könnte Aidoneus auch erliegen. Du wirst ihn überzeugen, dass er dich jederzeit im Griff hat. Das ist deine Aufgabe."

Ort: Selachii

„Ich weiß, deine Aufgabe besteht darin, diese Welt zu bewachen. Diese Aufgabe hast du doch gut erledigt."

„Das habe ich nicht. Du hast mich erledigt. Hast mich einfach so besiegt. Wie ist dir das gelungen?", fragte der Weiße Hai.

„Ach, das war ganz leicht. Haie schließen immer die Augen, bevor sie angreifen. In diesem Moment habe ich mit meinem Schwert zugeschlagen", erklärte ihm Takhtusho.

„Du hast ein Schwert? Also bist du doch ein Menschengott? Wie nennen dich die Menschen?"

146

„Takhtusho. Meine Schwester heißt Bcoto.“

Takhtusho sprach eigentlich nicht mit einem Hai, sondern mit einem Menschen. Einem, der genau so gewaltig war, wie er selbst.

In Selachii gab es RaumZeit Anomalien, die wie kleine, weiße Sanddünen aus der wie Wasser wirkenden Atmosphäre ragten. Über den „Sanddünen“ gab es echte Luft, die gasförmig und atembar war. Hier waren jene haiähnlichen Wesen menschenähnliche Wesen. Da sie als „Haie“ größer waren als in Menschenform, entstand aus einem „Hai“ zwei bis vier „Menschen“.

Takhtusho wusste das und hatte deshalb seinen ohnmächtig geschlagenen „Weißen Hai“ dorthin gezogen.

Der hatte sich aber, erstaunlicherweise, in nur einen Menschen verwandelt. In einen Menschen, der Takhtusho zum Verwechseln ähnelte. Nur die sehr weiße Haut störte die Ähnlichkeit.

Er war sofort aufgestanden, als Takhtusho seinen Namen und den seiner Schwester nannte.

„Du bist IHR Sohn?“, fragte er entsetzt. „Es herrscht Frieden zwischen den Orca und den Selachii. Warum greifst du mich dann an? Dazu hattest du kein Recht.“

„Ich greife dich an? Du hast mich angegriffen. Und du wolltest mich fressen. Ich kam ganz friedlich aus Psyche und habe nur den Orcus gesucht, weil ich meine Mutter finden wollte.“

Der Hai-Mensch hatte zu tun, seine Wut zu zügeln. „Orcus ist ein Schimpfwort. Das benutzen wir Selachii nicht. Und die Welt Psyche existiert nicht. Das wäre wider die Natur. Die Selachii haben verhindert, dass sie entsteht. Gleich am Anfang, als ihr Schöpfer sie erschaffen wollte.“

„Indem ihr wieder einmal einen mächtigen Asteroiden auf eine von Menschen bewohnte Welt geschleudert habt?“, wollte Takhtusho wissen.

„Einen so mächtigen, dass es sie zerrissen hat", erklärte der Hai-Mensch voller Stolz.

„Nein. Es hat sie nicht zerrissen. Dadurch entstand nur einer ihrer Monde. Und sie wurde für Menschen viel wohnlicher, als sie es vorher war. Ihr Schöpfer hatte das einkalkuliert."

„Ihr Schöpfer ist tot. Ganz Selachii weiß das. Ganz Selachii hat gefeiert, als er starb."

„Du hast keine Ahnung. Kann ich vielleicht mit jemanden reden, der besser Bescheid weiß?"

Ort: **Akromytikas**

„Nun wissen Sie Bescheid, meine Damen und Herren", wandte sich Aidoneus an die vielen Menschen, denen er eine kurze Besichtigung seines Gefängnisses gestattet hatte. Hier war seine Macht ungebrochen und damit auch seine Fähigkeit, Menschen zu durchschauen.

Außerdem war sein Gefängnis abhörsicher. Nicht einmal die anderen Götter konnten ihn hier belauschen. Auch nicht die Selachii. Das wusste er.

Also erklärte er allen Anwesenden, wie es ihrer Geheimgesellschaft in Kürze gelingen würde, die Weltherrschaft zu übernehmen.

Dass diese Welt diese Herrschaftsübernahme nicht überleben würde, verschwieg er.

Die Sache war so schon schwierig genug.

Auch wenn entsprechende Buch- und Kinoproduktionen regelrecht davon leben, von Geheimgesellschaften zu erzählen, die die Welt vernichten wollen. Und von Superagenten, die dann gegen SPECTRE,

148

die Illuminati oder andere ominöse Geheimgesellschaften die Welt retten.

So etwas in der Realität zu erschaffen und auch noch zum Gelingen zu bringen, ist unendlich schwer. Viel schwerer, als im Kino.

Er war in die Köpfe derer vorgedrungen, die Menschen verloren hatten, denen sie sehr nahestanden. Und die ihre Trauer noch nicht verarbeitet hatten.

Sie waren bereit, ihren Schmerz mit anderen zu teilen. Mit vielen anderen Menschen. Durch Zerstörungen.

Da Aidoneus mehrere tausend Verbündete rekrutiert hatte, war er bereit für sein großes Vorhaben.

Ihm würde es gelingen, eine Welt zu vernichten.

Schließlich hatte er eine Wette zu gewinnen.

5. Kapitel   Mauerbau

„Da dieses brutale Schließen der Grenze ein deutliches Be-
kenntnis des Versagens und der Schwäche darstellt, bedeutet dies
offensichtlich eine grundlegende sowjetische Entscheidung, die
nur durch Krieg rückgängig gemacht werden könnte."

John F. Kennedy (1917-1963), 35. US-Präsident

Ort: Psyche, Ostberlin, am Columbushaus

„Wir werden die Mauer hier gerade durchziehen", be-
stimmte der Genosse Tyzca und fuhr fort: „Das geht
schneller und spart Zeit. Schließlich muss die ganze Sache
an einem Tag erledigt sein."

„Damit verschwindet auch diese furchtbare Ruine. Sie
ist dann nur noch vom Westen aus zu sehen", stimmte Matern zu und sah auf das ehemalige HO-Kaufhaus, das dort
in den rudimentären Mauerresten kaum zu erkennen war.

Man konnte beim Anblick der Ruine fast glauben, der
letzte Krieg sei eben erst beendet worden. Dabei lag er
Jahre zurück. Diese Ruine hatte der Volkszorn verursacht.
Ostdeutsche Arbeiter und Bauern waren am 17. Juni dieses
Jahres völlig überraschend und in Massen gegen ihren Ar-
beiter- und Bauernstaat in den Generalstreik getreten. Weil
sie die Schnauze voll hatten. Von immer höher angesetzten
Arbeitsnormen. Für die es nicht mehr Lohn gab. Lohn, von
dem man sich in der DDR sowieso nichts kaufen konnte.

150

Die SED hielt nichts von demonstrierenden Arbeitern und Bauern im Arbeiter- und Bauernstaat. Die Befehlshaber der Roten Armee auch nicht. Ihre Panzer hatten die Demonstrationen noch am gleichen Tag blutig beendet.

Den Rest erledigte das MfS. Und das Politbüro des ZK der SED. Wissarew war zwar gestorben. Leider. Das hieß aber noch lange nicht, dass in der DDR Reformen nötig waren. Meinte das Politbüro. Wer eine andere Meinung allzu lautstark äußerte, wurde eingesperrt.

Nach kurzer Zeit war wieder Ruhe in der DDR. Oben und Unten. Blieb noch ein letztes Problem zu lösen. Die Möglichkeit, mit den Füßen abzustimmen. Indem man durch die innerdeutsche Grenze dorthin ging, wo es für gute Arbeit mehr Geld und mehr zu kaufen gab.

„Ich werde nach Moskau fliegen und die Sache dort absprechen", erklärte der Genosse Tyzca.

Der Genosse Matern war überrascht. „Wegen so einer Lappalie willst du nach Moskau fliegen? Eine kurze Absprache mit dem sowjetischen Botschafter oder dem Genossen Tschuikow* reicht doch sonst auch. Diesmal nicht?"

„In Moskau scheint jetzt ein anderer Wind zu wehen. Der Genosse Chruschtschow persönlich hat mich gebeten, wegen dieser Angelegenheit nach Moskau zu kommen."

„Dort ist doch Parteitag? Also reichlich zu tun. Die haben trotzdem Zeit für dieses Gespräch?", verstand Matern nicht.

---

* Marschall Tschuikow, Oberbefehlshaber der Gruppe der sowjetischen Streitkräfte in Deutschland

„Offiziell bin ich als Gast zum XX. Parteitag der KPdSU eingeladen. Reden darf ich natürlich nicht. Nur aufstehen und applaudieren, wenn die Situation es erfordert. Wie die anderen Staatschefs auch", erklärte Tyzca geheimnisvoll.

„Verstehe", erwiderte Matern. „Niemand soll wissen, dass ihr heimliche Absprachen miteinander trefft. Der Parteitag ist eine gute Tarnung."

„So ist es. Unter vier Augen werde ich mit dem Genossen Chruschtschow reden. Ihr bereitet mal schon alles vor. Damit es losgehen kann, wenn ich wieder da bin."

„Heißt das, wir haben eigentlich grünes Licht?"

„Natürlich. Breschnew hat mir versichern lassen, dass keiner in Moskau die Umsetzung unserer Pläne stören wird. Ich habe schon lange die ersten Vorgespräche dazu mit ihm geführt. Natürlich nicht über die offiziellen Kanäle. Es soll ja unbedingt geheim bleiben."

„Das lief nicht über die offiziellen Kanäle? Über wen lief es denn dann?", staunte der Genosse Matern.

„Über Honecker. Der ist doch schon dort. Er hat seine Ausbildung an der Parteihochschule des ZK der KPdSU abgeschlossen. Will aber unbedingt noch beim Parteitag dabei sein. Er hat mit Breschnew gesprochen. Soweit ich weiß, ist nicht nur Breschnew mit unseren Plänen einverstanden."

Ort: Psyche, Moskau, Kreml, Großer Palast

Der Genosse Erich Honecker war nicht einverstanden mit dem, was er da beim Parteitag hörte. Der Genosse Wissarew war tot und alles sollte plötzlich anders werden?

Chruschtschow sprach nämlich von Öffnung. Die Führung der Sowjetunion würde nicht mehr im Kreml wohnen, sondern in eigens für sie neu gebauten Häusern in Moskau.

Gut, das konnte man noch unter Normalisierung durchgehen lassen. Die DDR-Staats- und Parteiführung wohnte ja auch nicht in Palästen wie dem Kreml.

Aber dass die Gulags geöffnet werden sollten und offensichtlich unschuldig verurteilte Gefangene daraus freigelassen werden sollten. Wo sollte das hinführen? Doch nur ins Chaos.

Außerdem gab es keine unschuldig Verurteilten in einem sozialistischen Staat. Schließlich hatte die Partei immer recht und irrte sich nie.

Aber es wurde noch schlimmer, dachte der Genosse Honecker, als er weiter zuhörte.

Der Landwirtschaftsminister trat ans Rednerpult. Honecker kannte ihn nicht. Malenkow war der zweite Mann nach Chruschtschow. Aber scheinbar durfte der nicht reden. So wie andere ehemalige Vertraute des Genossen Wissarew.

Über den Genossen Wissarew zog der Landwirtschaftsminister nun her. Anders konnte man seine Andeutungen und Bemerkungen über Personenkult und die falsche Unfehlbarkeit von Hohen Parteiführern nicht bezeichnen.

Der Genosse Tyzca neben ihm sah das wohl genauso.

„Was geht hier vor? Du bist doch schon zwei Jahre hier. Was soll das?", fragte er flüsternd. Das Entsetzen, dass sein Gesicht deutlich zeigte, hörte man auch in seiner Stimme.

Auch die anderen Staatschefs der sozialistischen Bruderländer flüsterten mit den Genossen, die sie begleiteten. Fast unhörbar leise und ohne auch nur den Kopf dabei zu bewegen.

„Scheint so, als wolle man die Stimmung testen", vermutete Honecker, der seine eigene Wut über diesen politischen Richtungswechsel dabei nur mühsam unterdrücken konnte.

„Die Stimmung testen?", flüsterte Tyzca wütend. „Welche Stimmung? Das ist ein Parteitag. Dort vorn werden Reden gehalten und von den Zuschauern kommt donnernder Applaus. So wie immer. Was will man da testen?"

„Morgen ist der letzte Tag. Der Genosse Chruschtschow persönlich will ans Rednerpult treten. Es soll eine ganz besondere Art von Rechenschaftsbericht sein, den der Vorsitzende abgeben will. Nach den Gerüchten, die ich gehört habe, wollen sie die Verbrechen des Genossen Wissarew offenlegen."

Tyzca sah starr geradeaus. Honecker sah nur im Zucken von Tyzcas Schultern, wie es in seinem obersten Boss arbeitete. Doch der konnte sich schließlich nicht mehr beherrschen, drehte sich um und fauchte Honecker an: „Wissarews Verbrechen? Der Mann ist ein Held des Kommunismus und liegt verdienter Weise neben Bolschoi im Mausoleum."

„Das wird sich ändern. Wie so einiges andere auch. So jedenfalls die Gerüchte, die ich gehört habe."

„Was soll sich denn ändern? Es war doch gut, wie es war. Na, da bin ich ja gespannt, was wir morgen hören werden."

„Wir dürfen nicht dabei sein. Auch die anderen Gäste nicht. Nur KPdSU-Mitglieder. Man flüstert, die neue Parteiführung plant einen Politikwechsel", raunte Honecker.

„Einen Politikwechsel? Aber die bisherige Politik war doch gut. Was will man da wechseln? In der Sowjetunion gab es keine vom Westen gesteuerten Aufstände, wie bei uns."

„Sie glauben aber, dass es dazu kommen wird. Der 17. Juni hat ihnen Angst gemacht. Jetzt wollen sie Lebensmittel und Industriegüter für alle Bürger ihres Landes schaffen. Und keine „Butaforija"* mehr in den Schaufenstern."

„Und das wollen sie erreichen, indem sie ihren Bürgern mehr Freiheiten zugestehen? Das glaube ich nicht."

Ort: Psyche, Washington, D.C., Weißes Haus

„Die demonstrieren gegen unseren Krieg in Indochina? Das glaube ich nicht", echauffierte sich der US-Präsident. „Wissen die nicht", fuhr er fort, „dass wir dort gegen Kommunisten kämpfen? Direkt vor unserer Haustür."

---

* russ. Attrappe, Requisite (da es nicht genügend Lebensmittel gab, lagen Nachbildungen aus Pappmaché in den Schaufenstern sowjetischer Läden, in den Regalen gab es meist nichts weiter, als mehr oder minder gute russische Luft)

Seine Berater sahen sich nur an. Jeder hätte gern dem anderen überlassen, darauf zu antworten.

Fjölnir nutzte die Chance, dass die anderen schwiegen. „Es ist ihnen egal, dass die USA dort gegen die Kommunisten kämpfen, Sir. Hippies lehnen jede Art von Gewalt ab, Sir."

„Hippies? Nennt man die jetzt so?", fragte der Präsident.

„Es steht in jeder Zeitung, Sir", wagte Fjölnir einen Hinweis.

„Ich weiß", erwiderte der ehemalige General im Präsidentenamt mit mildem Tadel. „Es kommt auch im Fernsehen, im Radio und sonst wo. Überall stolpert man über langmähnige Gestalten in selbstfabrizierter Kleidung. Mit solchen Leuten gewinnt man keinen Krieg."

„Sie wollen auch keine Kriege gewinnen. Sie wollen, dass wir sie beenden", spuckte der Sicherheitsberater verächtlich aus. „Diese langhaarigen Spinner. Als ob man mit den Russen verhandeln könne."

„Der sowjetische Botschafter hat einen Staatsbesuch anfragen lassen", räusperte sich der Außenminister nach einigen Sekunden allgemeinen Schweigens.

„Einen Staatsbesuch?", fragte der US-Präsident überrascht. „Wer will kommen?"

„Präsident Chruschtschow nebst Gattin."

„Nebst Gattin? Ist der verheiratet? Ich habe noch nie Bilder mit einer Frau an seiner Seite gesehen."

„Aus den offiziellen Fotos wird sie immer wegretuschiert", meinte der Außenminister, sich immer noch räuspernd. „Die beiden sind nicht verheiratet, Sir. Deshalb tun sich alle schwer mit dieser Frau. Aber er will sie mitbringen. Und er bietet Friedensgespräche an. Ich denke, wir sollten diesen Staatsbesuch nicht ablehnen, Sir."

„Natürlich empfangen wir Chruschtschow", stimmte der US-Präsident zu. Dann wandte er sich an seinen Stabschef. „Bereiten Sie alles vor. Wir werden den russischen Staatschef empfangen. Sonst heißt es noch, wir wären diejenigen gewesen, die den nächsten Krieg angefangen haben."

Ort: Psyche, Moskau, Sperlingsberge

„Vielleicht wird ja ein kleiner Krieg daraus?", hoffte Breschnew. „Man sollte jede Chance nutzen, Marschall der Sowjetunion zu werden."

„Krieg? Bei uns, in der DDR? Wer soll denn diesen Krieg anfangen?", fragte Tyzca betroffen.

„Die Amerikaner natürlich", erwiderte Breschnew, so leichthin, als plaudere er übers Wetter. „Oder denken Sie, Genosse Tyzca, dass es sich die Amerikaner einfach so gefallen lassen, wenn Sie im Inneren Berlins eine Mauer hochziehen?"

„Aber wir müssen diese Mauer bauen, Leonid Iljitsch. Nur so kann die DDR weiter an vorderster Front gegen den Westen bestehen", bat Tyzca eindringlich.

„Das verstehe ich voll und ganz, Genosse Tyzca. Und ich bin in allen Punkten Ihrer Meinung."

Unter den vielen Spaziergängern im Park fielen die beiden Herren kaum auf. Sie hatten die Kragen ihrer Mäntel hochgeschlagen und die Hüte tief ins Gesicht gezogen.

„Chruschtschow hat unsere Pläne abgelehnt", sagte Tyzca, nur mit Mühe die Wut und Enttäuschung unterdrückend, die er bei diesen Worten empfand.

„Chruschtschow ist ein Weichei", erwiderte der andere Herr im Mantel verächtlich. „Er versteckt seine Feigheit hinter demokratischen Reformen, die er einführen will."

„Uns laufen die Leute davon, Leonid Iljitsch. Was ihnen der Westen zu bieten hat, können wir niemals bieten."

„Das andere Deutschland ist attraktiver als die DDR?", verstand Breschnew nicht.

„Die Amerikaner haben so viel Kapital in die westdeutsche Wirtschaft gepumpt, dass die stark wächst. Ihnen gehen die Fachleute aus. Und die holen sie sich bei uns. Die Sicherung unserer westlichen Außengrenzen wäre auch eine Sicherung der Warschauer Vertragsstaaten nach Westen. Es ist alles vorbereitet. Und dann diese Ablehnung."

Breschnew lächelte über die Hilflosigkeit des ostdeutschen Staatschefs. Wir haben dich an die Macht gebracht, dachte er, ohne uns geht nichts.

Er griff in seinen Mantel, holte einen Brief heraus und reichte den seinem Gesprächspartner.

Der las ihn und sah dann den KPdSU Generalsekretär erstaunt an. „Eine Genehmigung zum Mauerbau? Mit den Unterschriften der wichtigsten ZK Mitglieder? Und der Genosse Chruschtschow?"

„Die Amerikaner werden sich nicht gefallen lassen, dass Sie Ihre Mauer bauen, Genosse Tyzca", ging Breschnew nicht auf die Frage seines Gesprächspartners ein.

„Die NVA ist bereit, gegen die Amerikaner zu kämpfen. Sie weiß, die Rote Armee wird sie in diesem Kampf nicht allein lassen", erwiderte der in angemessenem Schwulst.

„Und wenn dann die Amerikaner gegen euch Deutsche und unsere Rote Armee kämpfen, werden auch die letzten Mitglieder des ZK der KPdSU einsehen, dass die Politik des Genossen Chruschtschow ein Fehler war."

„Ich verstehe, Leonid Iljitsch."

„Das ist schön, Genosse Tyzca. Dann lassen Sie Ihre Mauer bauen. Geben Sie die entsprechenden Befehle."

Ort: Psyche, Moskau, Kreml

„Sind Ihnen diese Befehle bekannt, Genosse Vorsitzender?", fragte Schukow.

Chruschtschow sah von den DIN-A4-Blättern auf, die er gerade gelesen hatte. „Irgendwer kocht hier sein eigenes Süppchen?", fragte er.

„Wir haben die Pläne des Genossen Tyzca abgelehnt, sein Land gegen den Westen mit einer durchgehenden Grenzbefestigung zu sichern", erklärte Schukow. „Trotzdem wird er es tun. Und er beruft sich dabei auf die Unterstützung aus Moskau. Auf Ihre Unterstützung, Genosse Chruschtschow?"

„Wir haben diese Idee beide abgelehnt, Genosse Marschall. Meinen Sie, ich signalisiere den Deutschen hinter dem Rücken des ZK dann etwas anderes? Wo bleibt dabei die neue Offenheit?"

„Die gefällt sowieso nicht allen ZK Mitgliedern. Unter Wissarew gab es mehr Klarheit."

„Unter Wissarew gab es nur eine Klarheit. Man konnte jederzeit im Gulag verschwinden. Oder in der guten, alten Erde an der Kremlmauer. Warum vergessen die Genossen das so schnell?", grollte Chruschtschow.

„Wie wollen wir weiter vorgehen?", fragte Schukow.

„Wir finden heraus, wer doppelt spielt. Morgen früh ist ZK Tagung. Ich werde das Thema ansprechen."

„Soll ich Marschall Tschuikow Bescheid geben, dass er den Deutschen auf die Finger klopft?", fragte Schukow.

Chruschtschow überlegte eine Weile und schüttelte dann den Kopf. „Die SED-Bonzen denken doch nach diesem Schreiben, dass wir geschlossen hinter ihnen stehen. Wenn er sich einmischt, fällt denen unsere Uneinigkeit sofort auf."

Ort: **Psyche, Washington, D.C., vor dem Weißen Haus**

Der Kontrast fiel sofort auf. Auf der einen Seite Herren im Anzug. Wobei Qualität und Schnitt der Anzüge direkt proportional zu den Gehältern ihrer Träger waren.

Auf der anderen Seite Frauen und Männer. Keiner von ihnen im Anzug, sondern bunt gekleidet. Und alle langhaarig.

Die Leute im Anzug repräsentierten das gute Amerika.

Die auf der anderen Seite wurden von den „Anzugträgern" Gammler, Arbeitsscheue, Asoziale oder einfach nur, nach ihrem deutlichsten Merkmal, als Langhaarige bezeichnet. „Hippie" hatte sich noch nicht bei allen durchgesetzt, denn die Langhaarigen waren alles andere als hip. Noch.

Im Moment waren sie gegen den Krieg in Indochina. Dort hatten sich die Vereinigten Staaten eingemischt. Hauptsächlich der Freiheit und der Demokratie wegen. Sagten sie. Aber auch, weil diese Gegend direkt vor ihrer Haustür lag und die kommunistische Gefahr von dort vertrieben werden musste.

So lautete auch der Tenor zum Indochinakrieg in den Zeitungen, im Fernsehen und in der offiziellen Politik.

Ort: Psyche, Washington, DC, Hilton Hotel

„Das ist die offizielle Politik", fasste Aidoneus seinen Vortrag zusammen. „In Wirklichkeit geht es aber dabei um etwas anderes."

il caskar hatte blasiert-gelangweilt zugehört und nickte nur zu diesen Worten. „Um die Weltmacht, natürlich."

Aidoneus klatsche theatralisch in die Hände. „Und ich dachte die ganze Zeit, du hörst mir gar nicht zu."

„Warum denn nicht? Du bist erfolgreich. Obwohl deine körperlichen Fähigkeiten so mickrig sind, wie die der Eingeborenen dieser Welt."

„Aber mein Geist ist stark. Weißt du, was die ganze Zeit dein Fehler war? Dich um deine mangelnde Körperlichkeit zu kümmern. Du wolltest Macht, um so groß und stark zu sein, wie die anderen Vollbürger."

„Was ist daran falsch?", wunderte sich il caskar.

„Bist du gescheitert oder nicht? Macht will man, um der Macht willen. Nur dann kann man sich ihrer uneingeschränkten und immerwährenden Zuneigung erfreuen. Ich habe auch dann nicht von meiner Macht gelassen, als sie mich eingesperrt hatten. Warum auch? Es gibt immer Willige, die bereit sind, Böses zu tun, wenn man ihnen dafür ein Zipfelchen der eigenen göttlichen Macht überlässt. Der Tot hat über alle Menschen Macht, die ihn lieben oder fürchten."

„Deshalb sind die anderen Götter bereit, dich freizulassen?"

„Ich weiß nicht, warum sie mich freilassen wollen", log Aidoneus, „aber ich wäre schön dumm, diese Chance nicht zu nutzen."

„Ich weiß nicht, was ich nutzen soll. Ich habe immer geglaubt, meine Eltern stünden hinter mir. Bis die mir in den Rücken gefallen sind."

„Bist du sauer auf sie?", fragte Aidoneus lauernd.

„Nein, viel schlimmer. Ich kann sie verstehen. Sie haben recht. Ich bin ein mickriger Gott."

„Weil es heute wichtig ist, als Gott auch ein Mensch zu sein. Moderne Zeiten eben. Du bist kein mickriger Gott. Du bist als Gott zu sehr ein Mensch. Menschen machen Fehler, Götter machen niemals Fehler."

„Warum?"

„Weil sie wissen, wie es läuft."

„Das weiß ich auch."

„Du glaubst, dass du es weißt. Warum haben die anderen diese Friedensbewegung unterstützt? All diese kiffenden, saufenden und herumhurenden Gammler, die die heutige goldene Jugend der Vereinigten Staaten darstellen? Was ist so Besonders an diesen Hippies?"

„Sie haben die gleiche innere Einstellung, wie Kowalski und Konsorten", antwortete il caskar.

„Auch."

„Weil man sich für eine Seite entscheiden muss?"

„Als Gott? Nie."

Nun musste il caskar einen Augenblick überlegen. „Weil wir die andere Seite unterstützen? Die Konservativen?"

„Absolut richtig."

„Aber wenn man die falsche Seite unterstützt und scheitert?", ließ il caskar seine alten Ängste blicken.

„Stopp ... Erster wichtiger Fehler. Verbanne diesen Unsinn aus deinem Kopf. Menschen scheitern, Götter nie. Was immer wir tun, es kommt etwas dabei heraus. Sein Ziel kann man auf vielen Wegen erreichen. Da andere auch dahin wollen, schließe dich ihnen an oder suche deinen eigenen Weg."

„Ich suche immer meinen eigenen Weg, aber ich scheitere immer", zog il caskar sein Fazit der letzten Jahrhunderte.

Aidoneus schien dieser Fatalismus, den er da hörte, sehr zu amüsieren. „Du scheiterst?", fragte er. Um dann aufzuzählen: „Bist du ein Vollbürger? Ja. Hast du deinen mächtigsten Feind besiegt? Ja. Wo bist du gescheitert?"

„Meinen Feind habe ich besiegt, weil er sterben wollte. Vollbürger bin ich, weil meine Eltern das durchgesetzt haben. Durch mich bin ich nichts."

„Oh je", seufzte Aidoneus mit jener falschen Theatralik, die er so sehr an sich mochte, „ich sehe, bei dir muss ich noch viel Arbeit leisten. Solche Probleme liebe ich am meisten. Fangen wir gleich damit an."

Ort: Psyche, Washington, vor dem Weißen Haus

„Sollen wir mit unseren Aktionen anfangen?", wurde Takhtusho von einem der Hippies gefragt.

Takhtusho hatte Sakania im Arm, aß und kaute.

„Warum fragst du mich das?", fragte er mit vollem Mund.

„Ich dachte, du bist der Boss."

„Ich habe nur dieses Treffen organisiert. Haben wir einen Boss?", fragte er seine Frau.

Sakania sah mit leuchtenden Augen über die unübersehbare Menge der langhaarigen Demonstranten. Sie spürte die Macht, die vom gemeinsamen Willen dieser Menge ausging. Und sie spürte, wie diese Macht zu ihrer Macht wurde.

Dann sah sie zum Fragenden hinunter. „Haben wir Anführer? Nein. Was fragst du uns dann? Tut, was ihr für richtig haltet. Aber immer daran denken, keine Gewalt. Gegen Niemanden. Okay?"

Ort: Psyche, Berlin, Marx-Engels-Platz

„Diese Mauer richtet sich gegen niemanden. Sie schützt uns. Jedes Land hat das Recht, sich zu schützen", ereiferte sich Genosse Tyzca gegen die Vorwürfe des Genossen Ackermann.

„Die DDR ist ein Arbeiter- und Bauernstaat. Daran habe ich mitgewirkt. Aus diesem Grund habe ich gegen die Nazis gekämpft. Was wir hier beschließen wollen, hat nichts mehr mit dem Sozialismus zu tun, für den Kommunisten kämpfen", erwiderte ein sehr wütender Genosse Ackermann.

Die Wut des Genossen Hager hörte man nur in der Kälte seiner Antwort: „Wir stehen für die Diktatur des Proletariats. Die verlangt von uns, dass wir uns vor den Kapitalisten schützen. Auch durch diese Maßnahme."

„Widersprichst du dir nicht selbst?", kam die heftige Antwort. „Wir schützen unsere Arbeiter und Bauern, indem wir sie einsperren? Was für ein Schutz soll das sein?"

„Der Schutz vor sich selbst. Sie sind noch nicht soweit, den Lockungen des Kapitalismus zu widerstehen. Also helfen wir ihnen durch diesen Schutz unserer Außengrenze. Und zeigen so unsere Stärke. Auch der Bevölkerung gegenüber."

„Gewaltmaßnahmen der Bevölkerung gegenüber sind für jede Regierung ein Eingeständnis der eigenen Schwäche. So sehe ich das", erwiderte Ackermann verächtlich.

„Dann siehst du es falsch, Genosse Ackermann", erwiderte Tyzca mit Ruhe, noch ehe der Genosse Hager etwas sagen konnte. Tyzca wandte sich an die anderen. „Wer ist noch gegen diese Maßnahme? Keiner? Dann ist der Beschluss angenommen. Zum ersten Mal nicht einstimmig."

„Das hat es noch nie gegeben", wurde nun Hager etwas lauter. „Unsere Beschlüsse waren immer einstimmig. Da nur der Genosse Ackermann dagegen ist, verlange ich eine Aussprache. Kann man mit solch einer Einstellung noch Mitglied des Politbüros des ZK der SED sein, Genossen?"

An dieser Stelle schaltete il caskar einfach auf Durchgang.

Sie war so ermüdend, seine Aufgabe bei den einfachen Menschen dieser Welt. Über was für Blödsinn die stritten. Am schlimmsten aber fand er, dass sie die politischen Phrasen selbst glaubten, mit denen sie ihre eigene Macht bemäntelten.

Fakt war, diesem Staat liefen die hochdotierten Bürger weg, weil es sich in dem anderen Deutschland besser leben ließ. Sowohl politisch, als auch materiell.

Deshalb der verzweifelte Beschluss, aus diesem Land ein großes Gefängnis zu machen. Die anderen sozialistischen Länder, die ebenfalls in direkter Nachbarschaft zum Westen lebten, hatten ähnlich Pläne. Aber im geteilten Deutschland hatten die eine Brisanz, die nicht zu toppen war.

Er freute sich schon auf die Reaktionen des Westens, wenn die geplante Nacht- und Nebelaktion des Abgrenzens abgeschlossen war.

Und so zogen am nächsten Morgen ostdeutsche Bauarbeiter an der Grenze zu Westberlin Mauern hoch.

Auch wenn sie die Anweisungen dazu für ausgemachte Scheiße hielten.

Ort: Psyche, Moskau, Kreml

„Was machen die für eine Scheiße? Wir haben letztes Wochenende beschlossen, die Grenzen Richtung Westen zu sichern. Von einer Mauer war nie die Rede", ereiferte sich Chruschtschow.

Im Politbüro herrschte betretenes Schweigen.

Chruschtschow sah irritiert in die Runde. „Soll das heißen, Sie wussten davon, liebe Genossinnen und Genossen?"

„Der Genosse Breschnew hatte nach unserem Treffen mit der deutschen Delegation eine private Unterredung mit Tyzca, Genosse Vorsitzender. Wir dachten alle, das geschähe mit deiner Billigung", erklärte Außenminister Skrjabin.

„Der Genosse Sekretär hat zusammen mit Tyzca eine solche Entscheidung getroffen?", fragte Chruschtschow mit kaum verborgener Wut.

Diesmal nickte Skrjabin nur.

„Und ihr dachtet, ich rede offiziell so und hinter dem Rücken anders?", fragte Chruschtschow.

„Eine sehr geschickte Politik, Genosse Vorsitzender", stimmte Malenkow eifrig zu. „Wir können uns nicht erlauben, nur einen Zentimeter unsere Einflusssphäre aufzugeben. Vor allem in Deutschland."

„Teilen die Genossen die Auffassung unseres Vorsitzenden des Ministerrates?", fragte Chruschtschow und beobachtete genau, wer zustimmte und wer neutral blieb. Die Mehrheit blieb neutral.

Das gab dem Genossen Chruschtschow den Mut, seine eigene Ansicht gegen die Breschnews und seiner Anhänger zu stellen. Er stand auf. „Und wo befindet sich der Genosse Leonid Iljitsch?" Diese Frage stellte er mit einer Freundlichkeit, die furchtbare Erinnerungen an den seligen Genossen Wissarew weckte.

„Er ist mit der deutschen Delegation in die DDR geflogen. Er und Tyzca sind alte Kampfgefährten. Sie verstehen sich prächtig", war Malenkow immer noch bemüht, den Genossen Chruschtschow auf seine und Breschnews Seite zu ziehen.

„Das verstehe ich prächtig", erwiderte Chruschtschow mit einem bösen Lächeln, bevor er in einem offiziellen Tonfall fortfuhr: „Ich möchte einen Antrag stellen, liebe Genossinnen und Genossen: Ich beantrage eine außerordentliche Sitzung des Politbüros des ZK der KPdSU. Eingeladen sind alle Mitglieder und Kandidaten. Ausnahmen gibt es nur, wenn jemand nachweislich seinen Kopf unterm Arm trägt. Sollte das beim Genossen Breschnew der Fall sein, werde ich mich persönlich davon überzeugen, dass es stimmt."

Er sah das Erstaunen und die Unsicherheit der Politbüro-Mitglieder. Mit einem Ton, der jeden Widerspruch ausschloss, fuhr er fort: „Termin ist in 2 Wochen. Thema ist unsere internationale Bündnispolitik. Und das Verhältnis zu unseren geliebten sozialistischen Bruderstaaten. Ich denke, einige haben ein Problem damit, dass sie nicht mehr jederzeit im Gulag landen können. Ich habe damit kein Problem. Auch nicht mit offenen Aussprachen. Und mit der Wahrheit. Die erwarte ich dann. In 2 Wochen. Vielleicht werden wir dann auch von Leonid Iljitsch mehr erfahren."

Ort: Psyche, Washington, D.C., vor dem Weißen Haus

„Was hast du noch erfahren?", fragte Takhtusho Kowalski, während um ihn herum weiterhin Hippies gegen den Krieg in Indochina protestierten.

„il caskar ist es scheißegal, dass Aidoneus einen Atomkrieg plant. Hauptsache er beendet die Auflagen seines Urteiles so schnell wie möglich", erwiderte der.

„Sie haben also vor, den Mauerbau zur Eskalierung der Lage zu nutzen? Was unternehmen wir dagegen?", fragte Takhtusho.

„Was schlägst du denn vor, Takhtusho? Willst du dein Schwert gegen Atomwaffen ziehen?"

Ort: Psyche, Berlin, Checkpoint Charlie

„Wir werden mit unseren Maschinenpistolen nichts gegen amerikanische Panzer ausrichten können, Genossen. Das weiß ich auch. Aber wir werden ein Zeichen setzen. Ein Zeichen unseres souveränen Arbeiter- und Bauernstaates", strahlte der Politoffizier.

Die anderen Offiziere der DDR-Grenztruppen am Checkpoint Charlie versuchten ebenfalls zu strahlen. Fanden aber nichts Positives daran, mit MPs gegen amerikanische Panzer zu kämpfen.

Vor ein paar Tagen war nämlich der amerikanische Vizepräsident in Westberlin eingetroffen.

In seiner Begleitung tausendfünfhundert Soldaten der 8. US-Infanteriedivision. Gut sichtbar über die Transitstrecke aus Westdeutschland.

Das MfS hatte alle Hände voll zu tun, dass die amerikanischen Panzer auf den ostdeutschen Autobahnen nicht zu einem kostlosen Event für DDR-Bürger wurden. Der Truppentransport war also alles andere als geheim.

Auch deshalb gingen Gerüchte herum, die Amerikaner würden die Panzer schicken, um die noch sehr provisorische Grenzbefestigung wieder einzureißen. Der Viermächtestatus in Berlin mache eine solche Aktion möglich.

Die Russen waren nicht der Meinung, dass die Amerikaner solche Pläne umsetzen würden. Wenn doch, so erklärte der Politoffizier, habe Marschall Tschuikow versprochen, ebenfalls Panzer zu schicken.

Es sah so aus, als würden die Gerüchte stimmen.

Denn die Panzer in Westberlin erschienen zuerst.

Die sowjetischen im Osten kamen kurze Zeit später.

Zwei Duzend vielleicht auf beiden Seiten. Trotzdem nicht weniger bedrohlich.

Dazwischen die Soldaten und Offiziere der Grenztruppen der DDR. Nur bewaffnet mit AK 47 und der Ansprache des Politoffiziers. Aber dafür in der ersten Reihe beim gerade ausbrechenden dritten Weltkrieg. Keine verlockende Aussicht.

Weder eine politische Ansprache, noch eine AK 47 waren ein gutes Mittel gegen einen Atomkrieg.

Ort: Psyche, Berlin, Grunewald, Villa Eberbach

„Wollen wir es wirklich zu einem Atomkrieg kommen lassen?", zweifelte il caskar noch immer.

„Natürlich. Die Frage ist jedoch, ob die Politiker von Psyche das auch wollen", erwiderte Aidoneus.

„Die anderen Götter wollen das nicht. Sie werden sehr, sehr wütend sein und uns tausende von Jahren in der Akromytikas schmoren lassen. Dazu habe ich keine Lust."

„Das können sie gar nicht. Ich habe eine ehrliche Wette mit Richard Renatus laufen. Ich habe gewettet, dass es mir gelingt, den Atomkrieg zu beginnen. Dann bin ich frei und bekomme einen jener kostbaren göttlichen Körper, die nur Sophia Demeter zu fertigen versteht."

„Echt jetzt? Kein Scheiß?", staunte il caskar.

„Kein Scheiß. Du kannst Richard Rath viel vorwerfen. Vor allem seine verfluchte göttliche Macht, die ihn so ziemlich unangreifbar macht. Aber er ist so sehr ein Mensch, dass er immer zu seinem Wort stehen wird. Er hat halt Moral. Vollkommen ungöttlich, so etwas. Bist du nun damit einverstanden?"

„Vollkommen. Ich möchte aber nicht, dass der Neue Hohe Rat davon erfährt. Versprochen?"

„Versprochen. Machen wir´s wie das deutsche ZK, mauern wir uns ein. Damit bist du aber ziemlich fest an mich und meine Ziele gebunden."

„Meine Mutter hat gesagt, ich soll dir vertrauen. Vor ihr hättest du viel mehr Angst, als vorm Kummerritter."

Aidoneus verzog den Mund. Schaffte es aber, dass aus der sauren Miene, die er kurz zeigte, schnell wieder ein Lächeln wurde. Ein gequältes zwar, aber ein Lächeln.

Er streckte seine Hand aus. „Schlag ein und ich schütze dich vorm Abhören des Neuen Hohen Rates. Gegen Kowalski und Konsorten habe ich immer noch ausreichend Macht. Vor denen müssen wir uns nicht zurückziehen."

Ort: Psyche, Berlin, Checkpoint Charlie

„Wir sollen uns zurückziehen?", fragte Oberst Glover S. Johns empört. Er hatte den Befehl über die Panzer in Westberlin und damit die einmalige Chance, einen Krieg vom Zaun zu brechen.

Es gibt Offiziere, auch in ganz hohen Rängen, die träumen von solchen Chancen.

Seinem Adjutanten, einem Major, kam es so vor, als sei sein Colonel entschlossen, eine solche Chance zu nutzen.

„Befehl von ganz oben", sagte er deshalb mit einer Deutlichkeit, die keine Missverständnisse zulassen sollte.

„Sie meinen, der Präsident hat das angeordnet?"

Nur ein Nicken war die Antwort.

„Das ist ein Skandal. Die Russen und die Deutschen mauern Berlin ein. Sollen wir wieder Rosinenbomber fliegen lassen? Diesmal haben wir Panzer hier. Ich bin mir sicher, unsere Jungs sind besser, als die Burschen da drüben in ihren funkelnagelneuen T 55."

„Das werden wir nie rausfinden, Sir. Befehl ist Befehl."

„Was meinen Sie, Major? Wenn wir uns trotzdem ein wenig mit den Russen anlegen? Es wird schon kein Weltkrieg daraus werden."

Ort: Psyche, Berlin, Checkpoint Charlie

„Es wird kein Weltkrieg daraus. Die Amerikaner werden nicht auf unsere Seite kommen. Und wir fahren nicht rüber. Auch wenn beide Seiten dazu befugt sind", betonte Wihtania sehr energisch.

Marschall Tschuikow sah zu der wütenden Frau in der Generalsuniform hoch.

Nicht nur, dass sie größer war als er, sie war auch verdammt schön. Vor allem, wenn sie so wütend war.

Wie kam Schukow damit zurecht? Es hieß, die beiden wären ein Liebespaar.

„Das Politbüro ist anderer Meinung", wagte er trotzdem einzuwenden. „Der Genosse Breschnew ist hier und hat uns versichert, die Aktion habe die Billigung aus Moskau. Wir sollten die kleinste Provokation nutzen, die uns die Gegenseite bietet, um unsere Stärke zu demonstrieren. Er ist sich sicher, dass wir gewinnen."

„Wegen dem Genossen Breschnew bin ich auch hier, Genosse Marschall", sagte Wihtania mit einem Lächeln, das dem Marschall das Blut in den Adern gefrieren ließ.

„Sie haben einen Haftbefehl?", fragte er.

„Einen Haftbefehl?", tat Wihtania, als wäre sie überrascht. „Für den zweitwichtigsten Mann der Sowjetunion? Lebt der Genosse Wissarew noch?"

„Sie wollen ihn nicht verhaften?"

„Nein. Ich möchte ihn nur bitten, zu einer außerordentlichen Sitzung des Zentralkomitees zurückzukommen. Vielleicht muss der Genosse Schukow danach eine Festnahme vornehmen und Sie werden dann eine Gerichtsverhandlung zu leiten haben, Genosse Marschall."

„Wie die von Konew gegen Mercheulow? Steht es so schlimm um Breschnew?"

Ort: Psyche, Berlin, Checkpoint Charlie

„Es steht schlimm mit uns, Major, wenn wir nicht mal die Erlaubnis bekommen, ein paar russische Panzer vor uns herzutreiben", sagte der Colonel bitter.

„Panzer vor uns herzutreiben?", fragte der Major entsetzt. „Wir sind hier in der größten Stadt Deutschlands. Es würde nicht ohne zivile Opfer abgehen."

„Die Kommunisten sperren ihre Leute ein", erwiderte ein empörter Oberst. „Wir würden sie befreien. Ein Volk nimmt Opfer in Kauf, wenn man es befreit."

Der Major schüttelte nur in Gedanken den Kopf. „Die Russen haben diese Stadt erst vor zehn Jahren befreit. Und sie dabei in Schutt und Asche legen müssen", gab er zu bedenken.

„Weil die Nazis ihre Macht nicht abgeben wollten und bis zum letzten Mann gekämpft haben", referierte der Oberst ein wenig in Militärgeschichte.

„Denken Sie, die Kommunisten sind da anders?", hielt sein Major dagegen. „Denken Sie, die würden einfach so ihre Macht aus der Hand geben. Außerdem dürfen wir keinen Krieg führen, wenn es der Präsident nicht befiehlt."

„Politiker", kam es bitter vom Oberst, „werden immer klein beigeben, wenn sie Angst um Wählerstimmen haben."

„Sir, denken Sie daran, wie viele Proteste es in den Staaten wegen Indochina gibt. Einen weiteren Krieg kann sich Uncle Sam nicht leisten", bemerkte sein Adjutant.

Der Colonel schnaubte verächtlich. „Sie werden es uns als Feigheit auslegen. Sie werden sagen, unsere Soldaten könnten den Angriffen der Russen nicht widerstehen."

Ort: Psyche, Berlin, Checkpoint Charlie

„Meinen Sie, unsere Soldaten könnten den Angriffen der Amerikaner nicht widerstehen?", versuchte Marschall Tschuikow, ob nicht doch ein kleiner Krieg möglich wäre.

„Keineswegs", beruhigte ihn Wihtania, „der Sozialismus gewinnt immer. Es liegt nur nicht in unserem Interesse, jetzt schon eine endgültige Konfrontation mit dem Klassenfeind herbeizuführen."

„Ist das Ihre Order aus Moskau, Genossin General?"

176

„Ich werde Ihnen keine Befehle erteilen, Genosse Marschall. Die Genossen im ZK wissen, wann sie sich auf ihre Marschälle verlassen können."

Und die Marschälle wissen, was passiert, wenn das nicht so ist, musste Wihtania nicht hinzufügen. Tschuikow war klug genug, das selbst zu wissen.

„Dann erschrecken wir sie halt", lenkte er ein.

„Die Amerikaner wollten mit dieser Provokation etwas anderes sehen, Genosse Marschall", erwiderte Wihtania mit ihrem charmantesten Lächeln.

„Ob wir sie in Deutschland machen lassen, was sie wollen?"

„Nein. Sie wollten eine Bestätigung, dass die Ostdeutschen ihre Mauer mit sowjetischer Erlaubnis gebaut haben. Die haben sie nun und können ihrer Weltöffentlichkeit versichern, Moskau stecke hinter dieser riesigen Schweinerei."

„Schön. Hoffentlich begreifen sie dann auch, was das heißt. Es bedeutet nämlich, dass wir gegen unsere Feinde zusammenhalten."

Ort: Psyche, Berlin, Grunewald, Villa Eberbach

„Wenn wir nun zusammenhalten, warum ist dann kein Atomkrieg draus geworden?", fragte il caskar enttäuscht.

„Weil es noch nicht soweit ist. Das Timing ist wichtig. Und das Equipment", bestätigte Aidoneus.

„Das Equipment?"

„Raketen. Kontinentalraketen. Wenn die entwickelt sind, werden wir sie abfeuern lassen. Keiner wird dann hinterher mehr wissen, wer angefangen hat."

„Verstehe. Und bis dahin stänkern wir immer wieder. Es wird krachen. Aber nur ein bisschen. Das war meine liebste Taktik gegen den Kummerritter. Das kann ich gut."

„Ich weiß. Ich habe dich ja nicht nur wegen deiner blauen Augen genommen, sondern auch wegen deiner Talente. Dein Talent zum Stänkern ist gut ausgeprägt. Wir werden weiterstänkern."

„Da geh ich mit. So lange wir stänkern, bleibt der Kalte Krieg ein Kalter Krieg. Bis wir ihn so heiß werden lassen, wie das mit Atomraketen möglich ist."

„Machen wir. Frieden wird es mit uns nicht geben."

Ort: Psyche, Moskau, Kreml, ZK Sitzung

„Frieden wird es mit den Kapitalisten niemals geben", ereiferte sich der Genosse Breschnew.

Chruschtschow sah nicht zu ihm. Er sah in die Runde. Und zählte die Anzahl derer, denen man ansah, dass sie ebenso dachten wie Breschnew. Es waren nicht wenige. Aber zu wenig, um eine Mehrheit zu bilden.

Das war beabsichtigt und gut vorbereitet.

Auch die lebhafte Diskussion. Das musste das ZK erst wieder lernen. Nach langer Zeit unter dem Genossen Wissarew.

Chruschtschow wollte es so. Und einige andere auch. Im Sozialismus mussten doch demokratische Spielregeln möglich sein. Wenigstens ein paar. Die Abstimmung ergab, dass die Mehrheit gegen eine direkte Konfrontation mit dem Westen war. Und dagegen, dass Breschnew weiterhin Sekretär des ZK blieb. Er sollte die Parteileitung in Kasachstan übernehmen.

Unter dem Zaren wäre das einer Verbannung gleichgekommen. Auch jetzt war es eine.

Der Genosse Tainow, der auffällig unauffällig hinter Breschnew stand, war da anderer Meinung. In Kasachstan wurden die sowjetischen Raketen erprobt. Und Breschnew war nun König in diesem Königreich.

Damit hatten Aidoneus und il caskar das eigentliche Ziel dieser Aktion erreicht.

Ort: Psyche, Berlin, Grunewald, Villa Kowalski

„Wie sollen wir unsere Ziele erreichen, wenn il caskar wieder einmal seine eigenen Spielchen spielt". fragte Ala Skaunia empört.

„Wir nutzen es zu unseren Gunsten", schlug Kowalski vor.

„Was ist daran günstig, dass wir wissen, einer von uns spielt falsch?", verstand Ala Skaunia nicht.

„Dass wir es wissen."

„Das ist mir zu kompliziert", verweigerte sich Ala Skaunia, kuschelte sich aber trotzdem an Kowalski an.

Der zog sie noch fester an sich heran und streichelte, in Gedanken versunken, ihre nackten Brüste.

„Aidoneus ist berühmt für sein Timing. Das hat er mit dem schwarzen Herzog gemeinsam. Ist halt ein Familienmerkmal. Was sie vorhaben, wissen wir ja. Für uns wäre also nur wichtig, in Erfahrung zu bringen, wann das Timing stimmt."

„Du meinst, eher passiert nichts."

Kowalski nickte nur und Ala Skaunia entspannte sich sichtlich, was er daran merkte, dass sie ihn ebenfalls streichelte. Aber nicht seine Brust, sondern tiefer.

„Maria Miseria hat mir alles über Geschichtsberechnungen beigebracht. Mal sehen, ob ich ein guter Schüler war."

„Einverstanden", schnurrte Ala Skaunia, „aber erstmal sehen wir, ob du auch mein guter Schüler warst. Mein Ehemann hat auch Pflichten."

Ort: Psyche, Berlin, Grunewald, Villa Eberbach

„Dein Exmann hat das alles so vorausgesehen?", fragte il caskars Mutter skeptisch.

Maria Miseria sah sie eine Weile an. „Du zweifelst immer noch an seinem Plan, nachdem seit über zweitausend Jahren alles eingetroffen ist, was Richard Rath vorausgesagt hat?"

„Es kann noch so viel schiefgehen."

„Das zu verhindern, sind wir beide doch Frau und Göttin genug. Oder?"

180

„Ich werde wieder dein Vertrauen in meine Fähigkeiten haben, wenn alles vorbei ist."

„Das wird nicht mehr lange dauern. Aidoneus ist sehr zielstrebig. Sieh es dir an", forderte sie und zeigte eine MindNetProjektion.

Nicht nur Breschnew war darauf zu sehen, auch viele der ZK Mitglieder, die seinen Kurs verfolgten und guthießen. Kurz vor dessen Abfahrt nach Kasachstan wurden Absprachen getroffen und alte Bündnisse erneuert. Aidoneus und il caskar beobachteten nur. Bei solchen Dingen benötigten die anwesenden Apparatschiks keine Hilfe.

„Wieder eine Intrige? Ein konspiratives Treffen?"

Maria nickte. „Wenn die Raketen fliegen, um Psyche zu vernichten, werden sie das jetzige ZK vernichten. Es wird wieder eine Diktatur geben, auf die Wissarew stolz wäre. Massenverhaftungen, Willkür. Das volle Programm. Auch die leichten Frühlingsknospen in den sogenannten sozialistischen Bruderstaaten werden in diesem Frost verdorren."

„Er macht das, was er immer macht. Wie durchsichtig."

„Stimmt. Er wird sich ein paar Provokationen einfallen lassen. Auf beiden Seiten. Die werden das feindliche Klima immer weiter anheizen, bis es schließlich irgendwann richtig kracht. Dieses Konzept ist so bewährt, wie es alt ist. Ich denke mal, er wartet, bis die Atomraketen die nötige Leistungsfähigkeit erreicht haben. Um anschließen Psyche in einem Overkill vernichten zu können."

6. Kapitel   Decisions[*]

„Die rasante Dynamik des Rüstungswettlaufs erklärt sich jedoch nicht nur aus den Bedrohungsszenarien des Kalten Krieges, sondern auch daraus, dass Nuklearwaffen als prestigeträchtig galten."

Bernd Stöver, „Der kalte Krieg", (Erde 2007)

Ort: Psyche, Pasadena, Kalifornien, Caltech

il caskar schwieg, als er das Institutsgebäude verließ. Er schwieg aus Enttäuschung.

Aidoneus schwieg ebenfalls. Hauptsächlich, damit il caskar seinen Triumph nicht spürte.

„Hast du überhaupt keinen Ehrgeiz?", unterbrach il caskar schließlich sein Schweigen.

„Ich brenne vor Ehrgeiz. Merkt man das nicht?"

„Warum überlässt du dann den anderen deinen Ruhm? Niemand wäre auf die richtige Idee gekommen, wenn du sie den anderen nicht in die Köpfe gesetzt hättest."

„Um im Vordergrund zu stehen? Das ist nicht mein Ding. Jeder würde mich kennen und ich könnte nicht mehr so effektiv arbeiten, wie bisher", erklärte Aidoneus.

---

[*] engl. Entscheidungen, Beschlüsse, Urteile

„Der Kummerritter hat auch immer so gearbeitet", gab il caskar zu.

„Gibt ihm der Erfolg nicht recht?"

„In gewisser Weise. Aber mich würde es trotzdem ankotzen, bei allem, was ich mache, im Hintergrund zu stehen."

„Vielleicht sollst du aber gerade das lernen? Deine Mutter wird schon ihre Gründe haben, uns beide miteinander zu verkuppeln", versuchte sich Aidoneus in einem Denkanstoß.

„Die hat sie mir genannt. Der war nicht dabei."

„Bist du dir sicher? Hat sie dir alles mitgeteilt, was sie erreichen will?", hakte Aidoneus nach.

il caskar schwieg eine Weile. „Ich bin mir inzwischen sicher, dass meine Eltern nie sagen, warum sie wirklich etwas von mir verlangen."

„Immer noch sauer wegen der Gerichtsverhandlung?"

„Für ewig."

„Siehst du, da hast du doch einen Grund, der dich antreibt. Einen sehr alten. Meiner ist noch viel älter."

„Du meinst deinen Hass auf Richard Kummer?"

„Richard Kummer ist tot. - Nein, ich hatte mal einen echt guten Kumpel in meiner Gefängniszelle. Aber der hat seine ganze göttliche Macht eingebüßt, weil er nicht wusste, was er wirklich wollte. Davor haben deine Eltern Angst. Denn wenn du Macht einbüßt, dann ist das ihre Macht. Wenn du mächtiger wirst, dann werden sie mächtiger."

„Und dabei willst du mir helfen? Ausgerechnet du?"

„Bei dem Egoismus, für den ich so berühmt bin? Keine Angst. Irgendwann werden wir uns gegenüberstehen. Dann wirst du gegen mich kämpfen müssen, um meinen Job zu übernehmen. Vorher gibt es jedoch andere Entscheidungen zu treffen. Die, für die richtige Seite auf Psyche."

„Das ist doch vorgegeben und liegt nur daran, in welchem Land man wohnt", winkte il caskar ab.

„Wichtige Tatsache. In den sozialistischen Ländern ist jeder, der nicht auf kommunistischer Parteilinie ist, ein Gegner. In den westlichen Demokratien schafft man sich die Abweichler vom Hals, indem man sie als Kommunisten verunglimpft."

Ort: Psyche, Los Angeles, Kalifornien

„Ich bin kein Kommunist, Paulos. Ich war nie einer. Trotzdem verbieten sie mir, meiner Arbeit nachzugehen." Der Mann hatte seine Brille abgenommen und putze sie. Gedankenversunken.

Fjölnir lächelte. „Kann man einem Schriftsteller verbieten, zu arbeiten, Dalton?", fragte er.

Sein Gegenüber sah ihn an. „Schreiben kann ich immer. Aber ob es veröffentlicht wird?"

„Was meinen denn deine Lieblingshollywoodproduzenten zu deinem Arbeitsverbot?"

„Sie bedauern, keine Drehbücher mehr von mir zu bekommen. Die waren immer garantierte Kassenschlager. Aber sie haben mir angeboten, als Scriptdoktor zu arbeiten."

„Ist doch gut", provozierte Fjölnir, „für wenig Arbeit, einen großen Haufen Dollars zu bekommen."

„Aus der Scheiße anderer einen ordentlichen Film zu machen, ohne im Abspann genannt zu werden, findest du gut?"

„Keine Ahnung. Ich wurde noch nie in einem Abspann genannt", antwortete Fjölnir mit entwaffnender Offenheit.

„Natürlich. Mach dich nur lustig über mich."

„Mach ich das? Ich wollte dir gerade die Idee zu einem fantastischen Drehbuch geben, weil mich ebenfalls ankotzt, was in unserem Land geschieht. Wie fühlte sich denn deine Vernehmung vor diesem Ausschuss zur Untersuchung unamerikanischen Verhaltens an?"

Ort: Psyche, Berlin, Hauptstadt der DDR

„Mein Verhalten entspricht nicht dem eines wahren Kommunisten?", fragte Ackermann mit entsetzter Verwunderung.

„So ist es", bestätigte sein Gegenüber.

Mit unangemessener Arroganz, wie Ackermann meinte. Dieser junge Hüpfer hatte den ganzen Krieg über im Untergrund gearbeitet. Auf gut Deutsch, er hatte sich irgendwo verkrochen. Abgesehen vom Abitur hatte er einen Dozentenkurs der Parteihochschule in Kleinmachnow belegt. Was ihn nun berechtigte, als ordentlicher Professor die ideologische Linie der Partei vorzugeben. Richtig studiert hatte der nie.

Schöne Karriere, dachte Ackermann, der einen Hochschulabschluss besaß, sich aber nicht Professor nennen durfte.

„Wir haben im Krieg gegen die Nazis gekämpft, Genosse Hager", versuchte er seinem Gegenüber zu erklären, was ihn bewegte. „Für ein freies Deutschland. Eines, das den Arbeitern und Bauern gehört. Gehört da dazu, dass diese Arbeiter und Bauern Angst vor der Arbeiter-Partei haben müssen?"

„Wenn sie gegen deren Kurs sind, schon", kam sofort die Antwort. Man konnte sie als starrsinnig bezeichnen. Oder als ideologisch gefestigt. Der Genosse Hager bevorzugte stets letztere Bezeichnung.

„Der Genosse Chruschtschow hat auf dem Parteitag berichtet, wie es unter Wissarew zuging. Sie haben damit aufgehört. Und die Schuldigen vor ein Gericht gestellt. Auch bei uns wurden die Wissarew-Denkmäler entfernt. Auch bei uns sollte eine neue Offenheit herrschen", beharrte Ackermann.

„Dieser Weg ist falsch. Die Partei gibt die Linie vor, die Menschen haben ihr zu folgen. So war es, so soll es bleiben. Alles andere ist konterrevolutionär", blieb Hager stur.

„Es sind Hunderttausende, die so denken wie ich. Können sich so viele Menschen irren?", zweifelte Ackermann.

„Vor dem Krieg waren Millionen Deutsche von den Ideen der Nazis begeistert. Haben die sich geirrt?", kam sofort die ideologisch gefestigte Antwort des Genossen Hager.

„Sie waren fehlgeleitet."

„Genau wie die Hunderttausende, von denen du sprichst. Sie sind fehlgeleitet. Und es ist die Aufgabe des Politbüros, diese Menschen wieder auf die richtige Linie zu bringen. Auf die unserer Partei", unterbrach ihn Hager heftig.

„Was mich stört, ist die Atmosphäre der Angst und der Unsicherheit, die wir damit schaffen."

Ort: Psyche, Los Angeles, Kalifornien

„Merken die nicht, dass sie eine Atmosphäre der Angst und der Unsicherheit schaffen? Im freiesten Land der Welt. Warum tun die so etwas?", fragte Dalton.

„Um an der Macht zu bleiben", erwiderte Fjölnir leichthin.

„Dafür werfen sie alle Ideale über den Haufen, für die die Vereinigten Staaten einst der Garant waren?"

„Warum denn nicht? Wenn man dadurch an der Macht bleibt. Wäre das nicht eine Idee für ein gutes Drehbuch?"

„Keiner würde es verfilmen."

„Naja, man könnte es in eine andere Zeit versetzen. Ins alte Rom. Zum Beispiel. Die haben damals auch alle Ideale ihrer Republik über den Haufen geworfen, um die alleinige Macht zu bekommen."

„Stimmt. Und wenn wir einen guten Haupthelden finden, der diese Ideale verkörpert und bereit ist, dafür zu sterben, wird es ein echter Hollywoodfilm."

„Wenn du die Geschichte als star vehicle anlegst, benötigst du nur noch einen absoluten Topstar für die Hauptrolle. Der wäre dann vielleicht sogar bereit, den Film zu finanzieren."

„Den habe ich schon."

„Prima. Und wenn du unbedingt im Abspann genannt werden willst: Wozu gibt es Annagramme?"

„Paulos, warum siehst du so jung aus, als hättest du gerade die High-School verlassen, wo du doch ein so verfickter Intrigant bist?", fragte Dalton Trumbo.

„Heh, ich mache das aus reinem Egoismus. Ich will die Exklusivrechte für die Interviews und Vorberichte zu euerem Film für meine Zeitung. Ich hoffe, du kannst Kirk Douglas auch davon überzeugen."

Ort: Psyche, Berlin, Hauptstadt der DDR

Die Genossen waren überzeugt, das richtige zu tun, stellte il caskar fest. Sie standen zu ihren Idealen. So, wie dieser Idiot Michael Arx oder der tote Richard Kummer.

Trotzdem hatte Aidoneus festgelegt, dass sie ihre Unterstützung bekommen sollten. Denn, so sagte er, sie würden wichtig sein. Sehr bald sogar. Also half il caskar dem Genossen Ackermann, in der DDR eine Opposition gegen die aufzubauen, die sich gegen die demokratischen Veränderungen stellten, die nach Wissarews Tod möglich waren.

Eine starke Opposition. Mit echten Chancen, etwas zu verändern. Er unterstütze sie auch, indem er bei den Gegnern Ackermanns Argwohn säte. Gegen das immer mächtiger werdende Ministerium für Staatssicherheit. Und gegen den noch sehr jungen Genossen Mielke, der dort gerade die Leitung übernommen hatte.

Aidoneus hatte einen so komplexen Plan entwickelt, dass il caskar Mühe hatte, alle Nuancen dieses Planes zu erfassen. Er zweifelte auch an der Umsetzbarkeit. Ohne das irgendwie zu äußern. Scheiterte Aidoneus, gewann il caskar. Ohne sich dafür anstrengen zu müssen. Assistent zu sein, so erkannte er, hatte auch sein Gutes. Einen solch komplexen Plan hätte er nie verwirklichen können.

Zuerst einmal mussten die politischen Differenzen auf Psyche weiter angeheizt werden.

Denn die Vorbereitung zur Vernichtung Psyches, so hatte Aidoneus erklärt, verlange auch den Untergang der alten Parteibonzen. Die würden sich dagegen wehren. Auf die Leute schießen, die auf die Straße gingen. Panzer gegen die eigene Bevölkerung einsetzen. Kurz, genau jenes Chaos verursachen, in dem Psyche dann untergehen würde.

Denn im Chaos einer Revolution von unten würde niemand mehr etwas gegen startende Atomraketen unternehmen können.

Soweit der Plan.

Ort: Psyche, Washington, D.C.

„Das ist Ihr Plan", fragte der Colonel erstaunt.

Aidoneus hatte in Amerika ähnliche Ideen, wie in der Sowjetunion und in der DDR. Und Offiziere rekrutiert, die bereit waren, einen begrenzten Atomkrieg zu beginnen. Als ob man so etwas begrenzen könne. „Keine gute Idee?", fragte Aidoneus. „Wollen Sie nicht auch, dass die Gammler von der Straße verschwinden?"

„Und da ist es ausreichend, wenn wir ein paar Raketen auf die Russen abschießen?", wunderte sich der Oberst.

„Wir müssen es so aussehen lassen, als hätten die zuerst geschossen", bekräftigte Aidoneus."

Ort: Psyche, Moskau

„Wir wehren uns doch nur, weil die Amerikaner zuerst geschossen haben", bemerkte Aidoneus beiläufig.

Der Oberst der Roten Armee nickte heftig. „Natürlich. Die Aggressivität der Amerikaner ist allgemein bekannt."

„Sie wollen die Weltmacht, aber die Stärke der Sowjetunion ist ihnen im Weg", erklärte Aidoneus. Ohne schwülstig oder rot zu werden. Eine wahrhaft göttliche Leistung. „Wollen Sie das zulassen, Genosse Oberst?"

Der sah il caskar mit einer Ernsthaftigkeit an, die nur Narren oder Fanatiker aufbringen können. „Niemals", erwiderte er, „wir sind verpflichtet, mit der Kraft unserer Atomraketen die Freiheit des Sozialismus zu schützen."

Ort:　Psyche, Washington, D.C.

„Mit unseren Atomraketen schützen wir die freie west-liche Welt vor dem Kommunismus", erklärte der Army-Oberst in angemessener Feierlichkeit.

Aidoneus gelang es erfolgreich, ein Grinsen zu unter-drücken. Stattdessen erklärte er in angemessenem Ernst: „Natürlich wird es Kollateralschäden geben, Colonel. Hun-derttausende Tote, verwüstete Städte."

Auch der Oberst zeigte eine angemessene Ernsthaf-tigkeit. „Das muss uns unsere Freiheit wert sein. Ein Sieg fordert immer Opfer. Jeder Soldat weiß das."

Ort:　Psyche, Moskau

„Um die Opfer, die dieser Sieg fordern muss, so gering wie möglich zu halten, werden nur ein paar Raketen abge-feuert", verlangte der sowjetische Oberst.

„Selbstverständlich", log Aidoneus. „Aber politisch muss es Veränderungen geben."

„Darum wollten Sie sich doch kümmern, Genosse Tai-now. Chruschtschow muss weg. Und mit ihm die ganzen Weicheier, die unsere Gulags geschlossen haben und diesen Unsinn von Freiheit und Veränderungen erzählen."

„Sie haben recht", stimmte Aidoneus zu. „Wie kann man dem Volk eine Stimme geben wollen? Die nutz es doch nur, um zu schreien und zu krakeelen."

Ort: Psyche, Washington, D.C.

„Gegen die schreienden und krakeelenden Hippies gehen wir mit aller Gewalt vor, schneiden ihnen die Haare ab und stecken sie in eine Uniform", verlangte der Army-Oberst.

Aidoneus nickte. Noch ernster. Nur so gelang es ihm, nicht lauthals loszulachen. Die Reaktion, die einzig und allein zu dieser Situation in Ost und West zu passen schien. Mit angemessenem Ernst sagte er: „Die Bedrohung durch anfliegende russische Raketen wird die Sache ganz einfach machen. Ich sorge dafür, dass politisch alles stimmt, Sie sorgen für die anfliegenden Raketen."

„Wir werden nur ein paar starten. Zwei oder drei", bekräftigte der Offizier.

„Damit bin ich einverstanden", log Aidoneus. „Mehr Raketen würden Psyche vernichten. Und wer will das schon. Wir wollen den Laden ja nicht dichtmachen."

Ort: Psyche, (geheimes) Labor Nr. 2

„Wenn unser Baby in den Kosmos fliegt, können die Amis ihren Laden dichtmachen", erklärte Koroljow stolz.

Wihtania sah nach draußen, wo ein riesiger Turm aus Metall glänzte, der von metallenen Streben gehalten wurde.

Erste Rauchschwaden am Boden zeigten, dass man dabei war, die Rakete zu starten.

„Die Amerikaner bauen auch an solchen Waffen", antwortete Wihtania.

„Sind die von denen so gut wie meine?"

„Nein."

„Das wissen Sie so genau, Genossin General?"

„Selbstverständlich."

„Verstehe. Wir haben Spione dort."

„Vielleicht haben die auch Spione hier?"

„Bei all dem Schlimmen, was unsere Geheimdienste anstellen, um alles geheim zu halten? Ich glaube nicht. Wir sind alle so gut wie eingesperrt und die wenigsten von uns wissen, wo wir überhaupt sind."

„Irrtum. Außerhalb dieses Gebietes und des Zentralkomitees weiß niemand, dass es euch überhaupt gibt. Was meinen Sie, warum die Deutschen, die anfangs geholfen haben, keine sowjetischen Staatsbürger wurden? Wie es die Amerikaner mir Wernher von Braun gemacht haben, der amerikanischer Staatsbürger wurde?"

„Warum wohl? Sie wollen ihre Erfolge als rein Russisch darstellen. Russen sind so."

Wihtania musste bei diesen Worten des Ukrainers lächeln. „Der Nationalchauvinismus der Amerikaner steht dem der Russen in nichts nach", antwortete sie. „Aber es war auch von Anfang an klar, dass keiner persönlich diesen Ruhm ernten sollte. Schließlich ist der Sieg des Sozialismus immer der Sieg eines kommunistischen Kollektivs."

„Verschonen Sie mich mit diesen Phrasen. Wenn Sie irgendwo in diesem Riesenreich irgendetwas finden, was auch nur entfernt an die Ideen von Marx und Engels erinnert, zeigen Sie es mir. Ich werde dann vorschlagen, daraus ein Museum zu machen."

„Keine Angst, dieses Museum wird nie entstehen."

„Das befürchte ich auch. Genauso fürchte ich, dass wir nie ins Weltall reisen werden. Das hatte ich eigentlich vor, als ich die ersten Raketen konstruierte."

„Ich habe keine Ahnung von Ballistik", log Wihtania, „aber fliegen Interkontinentalraketen nicht ins Weltall, bevor sie wieder herunterkommen, um ihre Bomben abzuwerfen?"

„Richtig. Viel besser wäre allerdings, sie bringen Kosmonauten nach oben, die den Weltraum friedlich erforschen. Statt dass wir unseren Krieg auch noch im Kosmos austragen."

Ort: Psyche, Washington, DC

„Wir werden den Krieg im Kosmos austragen. Ganz gewiss. Und unsere Raketen werden dazu beitragen", erklärte il caskar voller Überzeugung.

„Bis jetzt sind unsere Prototypen alle am Boden explodiert, ohne dass einer unserer Ingenieure sagen konnte, woran es liegt", wies der CEO auf diese Tatsachen hin.

„Keine Angst, Sir", beruhigte il caskar den CEO. „Mr. Leaven hier ist ein ausgezeichneter Ingenieur. Fast so gut wie ich."

Mit diesen Worten schob il caskar einen unscheinbaren Mann im billigen grauen Straßenanzug nach vorn, der viel zu verlegen schien, um ein hervorragender Ingenieur zu sein.

Fand der CEO. „Sie kommen vom MIT?", fragte er.

Der graue Mann schüttelte den Kopf. „Leider nur von der Caltech, Sir."

„Aus Kalifornien? Ich habe gehört, auf dieser Insel wimmele es nur noch so von Hippies und man bringe nichts mehr zustande?"

„Ich habe bei Professor Kármán studiert, Sir. Wir bauten bereits erfolgreich Raketen, bevor die Deutschen ihre Vergeltungswaffen auf Britannien losließen."

Der CEO musterte ihn misstrauisch. „Davon habe ich nie etwas gehört."

„War alles streng geheim, Sir. Aber nun darf ich mein Wissen anwenden. Meine Chefs haben es mir erlaubt, damit wir in der Lage sind, wenigstens mit den Russen gleichzuziehen."

„Gleichzuziehen? Wir werden sie überholen."

„Glauben Sie mir, Sir, so weit sind wir noch lange nicht."

Ort: Psyche, (geheimes) Labor Nr. 2

„Sind wir schon so weit, Menschen ins All zu schicken, Sergei Pawlowitsch?", fragte Wihtania.

Koroljow nickte. „Sind wir. Fragt sich nur, ob Menschen da oben überhaupt leben können."

„Käme auf den Versuch an ...", lockte Wihtania.

„Richtig. Tierversuche wären eine gute Idee. Ich habe gehört, Schweine sind den Menschen am ähnlichsten. Geglaubt habe ich das sofort. Wir sollten ein Schwein hochschicken und sehen, wie es ihm hinterher geht."

„Wir benötigen eine Raumkapsel, damit das Schwein überhaupt überleben kann. Können Sie so etwas entwickeln lassen?", fragte Wihtania.

„Wir sind bereits dabei."

„Verstehe. Aber ein Schwein ins Weltall geschossen zu haben, kann jeder behaupten. Wir benötigen etwas Eindeutiges, wo jeder auf Psyche sehen und hören kann, dass es oben ist."

Wihtania ließ dem Konstrukteur Zeit, auf die richtige Idee zu kommen.

Ort: Psyche, Berlin, Grunewald, Villa Kowalski

„Ich halte es immer noch nicht für die richtige Idee, il caskar zu unserem Verbindungsmann gemacht zu haben", maulte Ala Skaunia. „Er wird uns verraten. Bald."

„Möglich", stimmte ihr Kowalski zu. „Tritt das ein, benötigen wir einen Plan B, um für alle Eventualitäten gewappnet zu sein."

„Wir wissen doch noch gar nicht, was Aidoneus überhaupt vorhat."

„Doch, das wissen wir", widersprach Takhtusho.

Ala Skaunia sah ihn nur missbilligend an. „Hältst du dich inzwischen schon für so schlau, dass du Aidoneus durchschauen kannst?"

„Körperlich ist er nur ein Mensch, also sind seine Mittel begrenzt. Er kann nur auf menschliche Möglichkeiten zurückgreifen. Die haben sie aber bereits. Und zwar so heftig, dass sie in der Lage wären, Psyche mit einem Atomschlag zu vernichten."

Ort: Psyche, USA, Washington, D.C.

„Wir könnten unsere Welt mit einem Atomschlag vernichten? Sind Sie sich sicher?", fragte der US-Präsident entsetzt.

„Ich bin mir absolut sicher, Mr. President", erwiderte sein Sicherheitsberater und fuhr fort: „Deshalb haben die Stabschefs verschiedene Maßnahmen vorgeschlagen, den zu verhindern, aber uns immer noch vor den Russen zu schützen."

Damit reichte er seinem Chef eine Aktenmappe, die der aufschlug, um die darin liegenden Schriftstücke mit höchster Aufmerksamkeit zu lesen.

Ort: Psyche, Moskau, Kreml

„Wir haben diese Aktenstücke alle sehr aufmerksam gelesen, Genosse Schukow. Vielleicht könnten Sie dazu noch etwas sagen?", bat der Genosse Chruschtschow.

Der Verteidigungsminister stand auf. „Wir haben die Vorbereitungen abgeschlossen, um eine Wasserstoffbombe zu testen, die ungefähr fünfzig bis sechzig Megatonnen Sprengkraft haben wird. Explodiert sie, wird man das auf ganz Psyche wahrnehmen können. Aber das dient nur dazu, unsere Feinde zu warnen, die glauben, wir seien eine rückständige Nation."

Chruschtschow nickte gnädig. „Wie fortschrittlich sind wir denn, Genosse Marschall?"

„So sehr, dass wir es aller Welt zeigen können. Koroljow hat vorgeschlagen, einen Satelliten ins All zu schicken, damit alle wissen, wie leistungsstark unsere Interkontinentalraketen wirklich sind."

„Ich habe davon gelesen", bemerkte der Außenminister, „aber nicht so richtig verstanden, was wir damit zeigen."

„Die Reichweite unserer Raketen, Genosse Skrjabin", half der Verteidigungsminister aus, „und vor allem die

Tatsache, wie gut wir unsere Raketen steuern können. Die Amerikaner werden sich dann sicher sein, dass wir treffen, was wir treffen wollen."

Ein allgemeines Geraune war die Antwort, das Chruschtschow so zusammenfasste: „Sie haben grünes Licht für dieses Vorhaben, Genosse Marschall. Auch für die Pläne, Sicherheitsbunker für die zu schaffen, die diese Systeme steuern und überwachen werden."

Das zuallererst Sicherheitsbunker für die Mitglieder des ZK der KPdSU geschaffen wurden, verstand sich von selbst.

Ort: Psyche, Washington, D.C.

„Es versteht sich von selbst, dass wir das alles umsetzen, was die Vereinten Stabschefs hier vorschlagen. Ich denke, weder Kongress, noch das Repräsentantenhaus werden sich gegen diese Vorschläge stellen", befahl der US-Präsident seinem Sicherheitsberater.

„Da ist noch etwas, Sir. Dieser Deutsche, den wir eingebürgert haben, möchte gern sein Weltraumprogramm forcieren. Er benötigt dazu aber mehr finanziellen Spielraum."

„Für diese Spielchen? Dafür haben wir im Moment kein Geld. Sagen Sie ihm das. Ins Weltall fliegen? Was für Hirngespinste."

Ort: Psyche, Pasadena, Kalifornien, Caltech

„Er hält das für Hirngespinste?", fragte Aidoneus.

Wernher von Braun nickte. „Es ist immer wieder das Gleiche. Als ich dem deutschen Generalstab meine Weltraumpläne vorstellte, wollten die meine Raketen. Aber als Waffen. Die Amerikaner sind auch nicht schlauer."

„Es ist halt immer noch Krieg, Herr Baron. Und im Krieg schielt man auf schnelle Siege. Visionen sind dabei eher hinderlich", erklärte il caskar.

„Hinderlich?", fragte von Braun und musterte dabei Aidoneus. „Tun Sie bitte nicht so, als würden Sie einfach nur die Phrasen der anderen wiederholen. Ich weiß, dass Sie viel mehr von Raketentechnik verstehen. Sogar mehr als ich."

Nun war es an Aidoneus den deutschen Ingenieur aufmerksam zu mustern. „Ich verstehe viel von Raketentechnik? Wie kommen Sie denn auf die absurde Idee?"

„Ich bin bei den ganzen Gesprächen, die Sie geleitet haben, leider nur zum Zuhören verdammt gewesen. Aber ich bin ein guter Zuhörer. Sie haben es jedes Mal geschafft, uns aus unseren Sackgassen herauszuführen."

„Ja, das ist meine Stärke", sagte Aidoneus in hervorragend gespielter Bescheidenheit, „ich kitzele das letzte Quäntchen Leistung aus den Teams, die ich leite."

„Indem Sie Ihnen die richtigen Ideen vermitteln? Und das immer so, als seien das nie Ihre eigenen Ideen gewesen? Warum? Haben Sie keinen Ehrgeiz? Oder spielen Sie ein Spiel mit uns, dass wir erst durchschauen werden, wenn es dafür zu spät ist?"

Der Mann ist ja nicht nur als Raketeningenieur brillant, dachte Aidoneus, sondern auch als Mensch. „Wenn ich Ihnen helfe, Raketen ins Weltall zu schicken, behalten Sie dann diese Beobachtungen für sich?", versuchte er sich deshalb in Schadensbegrenzung.

„Das erscheint mir als bisher größte Sackgasse. Wie wollen Sie mir dabei helfen?"

„Hoffen Sie auf die Russen, Baron. Wenn die erst jemanden ins Weltall geschickt haben, werden die Amis aufwachen. Dann schlägt Ihre Stunde."

„Wenn die Russen jemanden im Weltall haben? Bis dahin bin ich lange tot und vergessen."

Ort: Psyche, Berlin, Grunewald, Villa Kowalski

„Es ist wichtig, dass wir nichts vergessen", ermahnte Kowalski. „Jetzt, wo wir den Neuen Hohen Rat bilden, hängt Psyches Schicksal von uns ab. Jeder kennt seine Aufgaben?"

Die anderen nickten nur.

Intermezzo 3

„- ich zucke nicht vor den Taten zurück, die in der Gegenwart erforder-
lich sind, um meine bevorzugten Zukunftsmöglichkeiten zu stabilisieren."

Janet Morris, „edelsteinTHRON", (Erde, 1979)

Ort: Selachii

Aus dem Mann auf der Sanddüne war wieder ein sehr großer
„Weißer Hai" geworden. Der hatte Takhtusho durch seine Welt ge-
führt. Die anderen „Fische" ließen die beiden in Ruhe. Nur die an-
deren „Haie", denen sie begegneten, schlossen sich ihnen an.

So kam Takhtusho mit großem Gefolge an einer Höhle an. Die
von einem inneren Licht erleuchtet schien. Die Ehrfurcht der Selachii
vor dieser Höhle war greifbar. Takhtusho ignorierte sie natürlich.

„Kann man da reingehen?", fragten seine Gedanken. Das Ent-
setzen, das seine Frage bei den Selachii auslöste, bedurfte keiner In-
terpretation.

„Wer wohnt denn in dieser Höhle?", wollte Takhtusho wissen.

„Megalodon", antwortete der Wächter.

„Hier wohnt euer König? Darf man ihn besuchen?"

Das Entsetzen auf diese Frage war noch größer. Aber Takhtusho
war hier, um Antworten zu finden. Bevor die Haie reagieren konnten,
schwamm er in die Höhle.

Ort: Primum Ultimum

Aidoneus schwamm durch das Braun.

Obwohl er wusste, er würde es nie durchdringen können. Nicht, wenn sie es nicht wollte.

Er wusste aber auch, sie würde seinen Willen prüfen. War er nicht hartnäckig genug, würde sie ihn nicht durchlassen. So war sie halt. Wer konnte sich seine Geschwister schon aussuchen? Nicht einmal die Götter hatten diese Macht.

Er musste nicht mehr lange warten, bis il caskars Mutter endlich erschien.

„Du wagst es, mich hier aufzusuchen?"

„Sobald du weißt, worüber ich mit dir zu sprechen habe, wirst du mein Eindringen in deinen privatesten Bereich verstehen", erklärte er und spürte gleichzeitig, wie intensiv sie sein Innerstes erkundete.

Und wie überrascht sie war, als er ihr keinen Widerstand leistete.

Ort: Psyche, Schloss Ehrlichthausen

„Er wird dir keinen Widerstand mehr leisten", erklärte Maria.

„Glaubst du seinen Versprechen? Ich nicht", erhielt sie eine Antwort, die leider noch viel zu sehr nach bockigem Kind klang.

Maria seufzte. „Alles, was geschehen war, konnte nur so geschehen, Sakania. Richard hat euch ausreichend auf alles vorbereitet. Mich hat er darauf vorbereitet, dass ich es schwer mit euch haben würde."

„Kein Wunder", klang Sakania noch immer bockig, „wenn du Vater bei solchen Dingen unterstützt."

„Ich habe es für euch getan."

„Den furchtbarsten Krieg unterstützen, den es in dieser Welt je gegeben hat? Für uns? Danke für diese Hilfe."

„Du kannst dir deinen Sarkasmus sparen. Er ist unangebracht. Was willst du denn? Keinen Krieg? Schließlich bist du eine große Kriegerin", war Maria immer noch geduldig.

„Du kannst dir deinen Sarkasmus ebenfalls sparen. Ja, ich bin eine große Kriegerin. Auch durch Richards Ausbildung. Aber eine Kriegerin, die den Frieden bewahrt."

„Und? Bist du in diesem Vorhaben nicht sehr mächtig geworden? Hauptsächlich dadurch, dass es den schlimmsten Krieg gab, den diese Welt je gesehen hat?"

Sakania wollte sofort heftig widersprechen, spürte aber auch, dass ihre Mutter recht hatte. In gewisser Weise.

„Wolltest du das erreichen?", fragte sie nach einer Weile des Überlegens verblüfft.

Ort: Selachii

Verblüfft stellte Takhtusho fest, dass die Höhle leer war.

Die Verblüffung der Selachii, die ihm wütend gefolgt waren, weil er ihr größtes Heiligtum geschändet hatte, war noch größer.

Eigentlich wollten sie Takhtusho hinrichten. Die Schändung ihres Tempels durch diesen mickrigen, kleinen Menschengott konnte nur durch dessen Tot bestraft werden.

Nun war ihre Überraschung so groß, dass sie davon abgehalten wurden.

Der Wächter fasste zuerst den Mut, sich an Takhtusho zu wenden. „Ein Orca wie du sollte wissen, wie er sich in Selachü zu benehmen hat. Da du ein Prinz der Orca bist, werden wir deinen diplomatischen Status respektieren. Aber nur, wenn du sofort unser Heiligtum verlässt."

„Es ist auch mein Heiligtum. Ich bin kein Orca. Ich bin ein Selachü", erwiderten Takhtushos Gedanken.

„Takhtusho und Bcoto sind Kinder der „Großen Orca-Mutter". Alle Selachü wissen das", kam der mächtige mentale Widerspruch aller anwesenden Selachü.

Aber Takhtushos Geist war stärker. Hier, in dieser Höhle, hatte er plötzlich alles Wissen über das Geheimnis seiner Geburt aufsaugen können. „Meint ihr? Dann werde ich euch erzählen, was ihr scheinbar nicht wisst. Wann und von wem ich geboren wurde."

Ort: Primum Ultimum

„Der Plan existiert schon seit Richard Raths Geburt?", fragte il caskars Mutter verblüfft.

Aidoneus lächelte. „Nein. Er ist noch viel älter. Älter, als du es dir vorstellen kannst. Da uns hier niemand belauschen kann und du eingeweiht sein musst, kann ich ihn dir verraten: Deine drei Brüder haben vor, alle Selachü wieder menschlich zu machen."

„Das wollt ihr erreichen?", fragte il caskars Mutter ihren Bruder verblüfft.

Der lächelte nur. „Traust du uns das nicht zu?"

„Ich traue dir alles zu. Aber in dieser kurzen Zeit? Wenn Renatus Voraussage stimmt, und er hat sich noch nie geirrt, hast du nur noch hundert Jahre Zeit, dein Ziel zu erreichen."

„Das schaffe ich lässig. Übrigens weiß ich, was du eigentlich vorhast. Ich weiß, warum du mir so bereitwillig hilfst. Du willst auch ein Arbiter Deus werden."

„Das war nicht schwer zu erraten. Ich tue es für meinen Sohn."

„Ja, diesen Eindruck willst du vermitteln."

„Ach so? Habe ich etwa andere Gründe?"

„Sicher hast du die. Vor allem hast du die gleiche Angst, wie ich. Was, wenn die Selachii etwas von unseren Plänen erfahren?"

„Das darf nie geschehen. Sie würden uns vernichten."

„Dann bin ich ja beruhigt. Denn du willst das Gleiche erreichen wie ich. Ich erkläre dir, wie es noch schneller geht. Kannst du deine Abschirmung noch intensivieren?"

Ort: Terra Nostra, Schloss Richard Renatus´

il caskar hatte sich intensiv abgeschirmt. Irgendjemand wollte etwas von ihm. Das konnte nichts Gutes sein. Weshalb er seinen Schirm so mächtig werden ließ, wie es ihm möglich war.

Trotzdem wurde er einfach so durch die RaumZeit gesogen. Er blinzelte überrascht, als er sah, wo er angekommen war.

„Bin ich verhaftet?", fragte er. „Ich könnt mich nicht verhaften. Ich habe nichts falsch gemacht."

206

Alexandra lächelte. „Im Gegenteil", antwortete sie, „du hast fast alles richtig gemacht. Deswegen haben wir beschlossen, dich zu uns einzuladen."

„Hätte man diese Einladung nicht etwas freundlicher gestalten können? Statt mich nur einfach durch die RaumZeit hierher zu schleifen? Ohne mich zu fragen. Ohne mich zu warnen."

„Wärst du gekommen?", fragte Alexandra.

„Nie."

„Na also. Möchtest du eintreten?"

„Habe ich eine Wahl?"

„Immer."

„Ich möchte trotzdem eintreten. Stimmt es, dass Renatus jetzt ein Arbiter Deus ist?", war il caskar neugierig.

„Das sind wir inzwischen alle", antwortete Alexandra.

„Catarina auch?", war il caskar verblüfft.

„Selbstverständlich."

„Aber die Selachii lehnen euch ab und kämpfen gegen euch?", verstand il caskar nicht.

„Sie kämpfen nur gegen unser Mensch-Sein. Sie haben ihr Mensch-Sein seit Langem verlernt. Sie werden es wiederfinden. Durch uns und durch euch. Wir werden euch dabei helfen", bot ihm Alexandra an.

„Du willst mir helfen, obwohl ich dich umbringen wollte?"

„Ich will dir helfen, weil du mich umbringen wolltest."

„Ihr habt das alles so geplant?"

„Seit Jahrhunderten."

Ort: Psyche, Schloss Ehrlichthausen

„Ihr habt das seit Jahrhunderten so geplant?", fragte Sakania überrascht.*

Maria nickte. „Als der Zweite Kybernetische Krieg zu Ende war, glaubten wir, wir hätten unser Ziel schon erreicht und es würde nun ewiger Friede auf Erden herrschen."

„Doch dann kam der Krieg der Kinder", verstand Sakania.

„Und bestätigte scheinbar all die, die der Meinung waren, Menschen würden immer Kriege gegeneinander führen."

„Daran glaube ich nicht", fand Sakania ihren Trotz wieder.

„Ich auch nicht", versicherte ihre Mutter. „Was würde heute auf Terra Nostra geschehen, wenn jemand zum Krieg aufruft?"

„Er wäre ziemlich einsam."

„Und auf Psyche?"

„Gäbe es noch genügend, die ihm folgen würden."

„Aber es gäbe auch viele, die sich dem entgegenstellen?"

„Es werden immer mehr", war Sakania stolz.

„Noch sind es zu wenige. Darum hat dein Vater die USA in den Indochinakrieg verwickelt. Dieses Land ist jung, hat bisher nur gute Kriegserfahrungen gesammelt. Eine Niederlage in einem richtig schmutzigen Krieg wird ihm guttun", erklärte Maria.

Sakania überlegte eine ganze Weile. Göttliche Herangehensweise an menschliche Probleme hatte sie mit der Muttermilch eingesogen.

„Wir spielen die ganze Zeit böser Polizist, guter Polizist?"

„Und du bist die gute Polizistin. Schon immer", bestätigte ihr ihre Mutter. „Wirst du die Friedensbewegung weiter fördern? Deine Hippies werden eines Tages diese Welt zu einer besseren machen."

„Natürlich werde ich das."

„Gut. Was macht Takhtusho? Sucht er seine Mutter?"

„Er ist sich sicher, dass er sie findet. Im Orcus."

„Dann ist es endlich soweit. Renatus wird sein Versprechen einlösen und dir die Macht verschaffen, der keiner widerstehen kann. Im Moment kümmert er sich noch um il caskar. Nutze diese Macht und Psyche wird den Frieden finden, den es braucht."

Sakania umarmte ihre Mutter und flüsterte dabei: „Ich werde dieser Welt Frieden bringen. Das verspreche ich."

Ort: Primum Ultimum

„Wir werden diese Welt, so, wie sie ist, zerstören? Versprochen?", fragte Aidoneus.

Seine Schwester nickte nur. „Wir werden sie zerstören. Vielleicht hätten wir beide gleich mit offenen Karten spielen sollen?"

„Wäre es dann genau so amüsant gewesen?"

„Nie."

„Na also. Es ist nicht verboten, Spaß zu haben. Vor allem nicht daran, eine Welt zu zerstören."

„Glaube mir, es macht Spaß, eine Welt zu erhalten", beendet Richard Renatus seine Erklärungen.

„Es ist deine Welt. Du kannst damit tun, was du willst", erwiderte il caskar.

„Es war von dem Moment an nicht mehr meine Welt, als andere Menschen darauf lebten. Und auch vorher konnte ich mit ihr nicht tun und lassen, was ich wollte", wies ihn Richard zurecht.

„Verantwortung zu übernehmen, hat er ja inzwischen gelernt", vermittelte Catarina, um Richards Vorwurf die Schärfe zu nehmen.

il caskar sah nach unten. „Stimmt. Ich bin ein verdammter Spießer geworden."

„Glaube mir, das geht den meisten so, wenn sie älter werden. Deshalb ist man kein Versager. Das sind eher die, die keine Verantwortung übernehmen", ließ Richard kurz den Lehrer heraus. Manchmal geschah ihm das noch.

„Meine Eltern wollen, was ihr wollt?", fragte il caskar.

„Das ist unwichtig. Nur das, was du willst, zählt."

il caskar sah Alexandra nach diesen Worten an. „Wir haben einmal für eine bessere Welt gekämpft. In der gleichen Community."

„Und jetzt hat dir eine andere Community angeboten, mit ihr für eine bessere Welt zu kämpfen", gab sie zurück.

„Aidoneus hat mir eine ungeheure Macht geboten. Seine Macht. Ich weiß, er kann das", gab il caskar zu bedenken.

„Er kann das nicht nur", bestätigte Richard, „er will das auch. Aber du musst dann stark genug für diese Macht sein."

„*Gehst du mit unserer Community*", *warb nun auch Alexandra,* „*dann schaffst du dir deine Macht auf dem schweren Weg, den wir alle gegangen sind. Bedenke aber: Unser Weg ist der schwerere, aber auch der sichere.*"

Ort: Selachii

„*Bist du dir sicher? Du willst uns von deiner Geburt erzählen? Wie soll das gehen?*", *fragte die Gedanken der Selachii.*

„*Warum soll das nicht gehen? Ich war dabei. Und hier kann ich mich an alles erinnern*", *wunderte sich Takhtusho.*

Erinnern? An die Geburt? Nun war das Entsetzen der Selachii so groß, dass einige in Ohnmacht fielen. Die weißen Bäuche nach oben, trieben sie in der flüssigen Atmosphäre ihrer Welt.

„*Unsere Mutter war sehr geschwächt durch ihre Schwangerschaft in menschlicher Gestalt. Sie wusste, so würde sie unsere Geburt nicht überleben. Es war ihr egal, solange wir überleben würden. Deshalb blieb sie ein Mensch. Unserem Vater war das nicht egal. Er hat uns gehasst dafür, dass wir seine Frau vernichteten. Er tat alles, um das zu verhindern. Er war ein mächtiger Gott. Der Gott der Krieger. Aber von Mutterinstinkten und Mutterliebe hatte er keine Ahnung. Darin war sie mächtiger als er. Wir kamen zur Welt. Sie starb. Sie war eine Selachii. Ich wurde im Wasser geboren. Im Wasser Psyches*", *erklärte Takhtusho, was er hier in der Höhle erfahren hatte.*

An dieser Stelle musste er allerdings seine Erzählung unterbrechen, denn auch die anderen Selachii waren nach seinen letzten Worten in Ohnmacht gefallen. Nur der Wächter nicht. Takhtusho wusste nun, warum er diesen Posten innehatte. „*Megalodon hat dich beauftragt, dieses Tor zu bewachen? Wann?*", *fragte er ihn.*

„An dem Tag, als wir ihn alle das letzte Mal sahen."

„Er ist nicht tot. Ich spüre ihn."

„Wir alle spüren ihn. Solange Megalodon im Geiste unter uns weilt, so lange existieren die Selachii. Er darf nicht sterben."

„Er wird aber. Bald. Allerdings darf er erst sterben, wenn er uns erzählt hat, wohin er unsere Mutter verbannt hat. Als Strafe dafür, dass sie es gewagt hat, in menschlicher Gestalt und auf Menschenart Kinder zu bekommen. Ich werde ihn fragen, wenn ich ihn finde."

„Du willst ihn finden?", wunderte sich der Wächter.

„Ich oder meine Schwester. Warum auch nicht? Unseren Vater haben wir bereits gefunden. Unsere Mutter werden wir ebenfalls finden. Ich spüre, sie ist der Schlüssel. Zu Psyche. Zu den Selachii."

Ort: Kephalis

„Hier können uns die Selachii nicht belauschen", sagte Richard Renatus.

„Weil wir im Inneren eines Mondes sind?", fragte Sakania.

„Weil Kephalis das nicht will. Kybernetische Organismen können sehr mächtig sein. Ich weiß es. Ich habe sie bekämpft."

„Auch Kephalis?"

„Nein. Mit ihr waren wir verbündet. Zum Glück. Kephalis ist unbesiegbar. Deshalb war es falsch, sie zu erschaffen. Da sie aber lebt, wäre es falsch, sie zu vernichten. Nur weil sie möglicherweise eine Gefahr darstellt."

„An diesen Worten erkenne ich den Richard Kummer in dir."

„Stimmt. Er hatte verrückte Ansichten."

„Wie sind wir hier hereingekommen?"

„Ich habe sie gefragt und sie war einverstanden. Es geht nur so. Das ist bereits eine Art Prüfung. Jeder, der mit einem der beiden Monde zu tun hat, muss sie bestehen", erklärte Richard Renatus.

„Verstehe. Falls irgendwelche Raumfahrer hier landen, können sie das Raumschiff nicht stehlen", erwiderte der Polizist in Sakania.

Richard lächelte. „So hatte sich das einer ihrer Schöpfer einmal vorgestellt. Aber jedes Hindernis lässt sich überwinden. Wenn man weiß, wie."

„Ich werde den Psychanern schon verständlich machen, welchen Schatz sie vor ihrer Haustür haben", war sich Sakania sicher.

„Dazu musst du diesen Schatz erst einmal heben. Sie wird dich intensiv prüfen. Bestehst du diese Prüfung, wird sie dir helfen. Aus diesem Grund habe ich sie und ihre Schwester geweckt."

„Sie wird mich intensiv prüfen? Wie?", versuchte Sakania, keine Angst zu zeigen.

Richard Renatus zeigte ein beruhigendes Lächeln. „Siehst du den See vor uns? Zieh dich aus und geh ins Wasser. Den Rest überlasse einfach Kephalis."

7. Kapitel   Grenzsetzung

„Und während wir geduldig abwarten, Maß nehmen und auf das Ziel lossteuern, vernichten die Bestien Tag für Tag, Minute für Minute Menschenleben"

A.&B. Strugatzki, „Es ist nicht leicht, ein Gott zu sein", (Erde, 1964)

Ort: Psyche, Washington, D.C., Pentagon

„Ich möchte nochmals alle darauf hinweisen, dass alles, was wir hier besprechen, strengstens geheim ist", sagte il caskar mit dem dafür nötigen Ernst.

Die anwesenden Militärs sahen genauso ernst zurück.

Wie langweilig, dachte il caskar. In den USA saß er für den Neuen Hohen Rat auf dem Posten des CIA-Direktors.

Alle anderen Anwesenden waren erfüllt von der Wichtigkeit der ihnen übertragenen Aufgabe. Und von der Pflicht des Sieges über den Kommunismus. il caskar war nicht überzeugt. Weder vom Sieg über den Kommunismus, noch vom Gelingen des großen Planes, den sich Aidoneus ausgedacht hatte.

Obwohl die Idee von Aidoneus genial war. Wie il caskar nur ungern zugeben konnte. Den Militärs und Politikern war schon bewusst, wie gefährlich Kernwaffen waren. Man konnte damit ganz Psyche vernichten. Um das zu erreichen, hatte Aidoneus einen positiven Ansatz gewählt. Einen, mit dem alle Entscheidungsträger leben konnten.

Die Atomwaffen sollten sicherer werden. So sein gern gehörter Vorschlag bei den führenden Politikern beider Lager. In Amerika war dazu eine staatliche Organisation zu gründen. Das war wichtig. Denn die Atomraketen waren bereits soweit, fremde Kontinente zu erreichen. Die russischen waren natürlich auf Amerika gerichtet. Während die amerikanischen die Sowjetunion bedrohten.

Aber was nutzt die schönste Waffe, wenn man sie nicht abfeuern kann? Aidoneus hatte Militärs gefunden, die das wollten. Aber nicht durften. Offiziell.

Denn die ganz oben wollten nicht so richtig. Weiter unten jedoch gab es genug Menschen, die bereit waren, einen begrenzten Nuklearkrieg zu riskieren.

Narren, dachte il caskar. Ein Nuklearkrieg lässt sich nicht begrenzen. Zumindest dann nicht, wenn das Waffenpotential für eine vollständige Vernichtung ausreichend war. Das war es. Zeit also, es einzusetzen.

Aidoneus hatte den Kriegswilligen einen Weg gezeigt, ihre Raketen abzufeuern. Die Verschwörung dazu war so geheim, wie es unter Aidoneus nur möglich war.

Es sollte eine Simulation eines Atomwaffeneinsatzes stattfinden. Glaubten die Politiker, die daran teilnehmen würden. Die Militärs, die mit Aidoneus und il caskar unter einer Decke steckten, wussten hingegen, dass es heute krachen würde.

Echte Kontinentalraketen gegen die richtige Sowjetunion. Endlich würde aus dem Bedrohungsszenarium blutiger Ernst werden.

Ort: Psyche, Sowjetunion, Moskau, Kreml

Auch die Russen waren viel zu ernst, fand il caskar. Wo doch ein so großer Spaß bevorstand. Das wussten die natürlich noch nicht.

Auch hier hatte Aidoneus Militärangehörige gefunden, die den Kalten Krieg in einen heißen Krieg verwandeln wollten. Der Sieg gegen die Nazis lag viel zu lange zurück. Und leider war man damals zu jung gewesen, um an diesem Sieg den gebührenden Anteil zu nehmen.

Der heutige Sieg würde gewaltig sein. Denn es standen viel mächtigere Waffen zur Verfügung, als damals gegen die deutschen Faschisten.

Keiner wusste natürlich, dass besagte Übung gleichzeitig bei der Gegenseite stattfand.

Auch die US-Amerikaner wussten das nicht.

Alle Mitglieder des Politbüros des ZK der KPdSU wussten, dass es eine sowjetische Institution gab, die die Anwendung von Atomwaffen sicherer machen sollte.

Das hatten sie gemeinsam beschlossen. Es wurde Verantwortliche ernannt und südlich von Moskau Bunker gebaut.

Die getroffenen Sicherheitsmaßnahmen wollte man testen.

Keiner der hier anwesenden kannte Aidoneus´ Plan. Keiner wusste, dass der Test, den sie hier besprechen würden, am Ende dazu führen sollte, dass sie ihre Waffen auf den Gegner abfeuerten.

Ort: Psyche, Washington, D.C., Pentagon

„Natürlich werden wir keine richtigen Atomraketen abfeuern. Das Ganze wird nur simuliert", erklärte il caskar
den anwesenden Funktionsträgern.

Dann wies er auf eine rote Mappe, die er offen vor sich
liegen hatte. Die der anderen waren noch geschlossen.
„Wenn Sie die Güte hätten, die Studien unserer Institution
zu lesen, könnten Sie sich das Diskutieren ersparen, meine
Herren."

„Die CIA hat also mal wieder die Weisheit mit Löffeln
gefressen?", fragte der Marinestabschef.

„Nein", gab il caskar kalt zurück, „wir haben nur unsere
Hausaufgaben gemacht. Haben Sie den Vorfall in San
Diego vergessen, Herr Admiral?"

Der Admiral wurde rot. „Der steht hier nicht zur Debatte, denke ich."

„Ich denke, es steht sehr wohl zur Debatte. Es ist unserem Field-Officer gelungen, die Gewalt über die Waffensysteme eines unserer strategischen U-Boote zu erlangen.
Was, wenn es ein GRU* Agent gewesen wäre? Und nicht
ein Test des CIA?"

„Dem solche Tests auf dem Boden der Vereinigten
Staaten gar nicht zustehen", monierte der Admiral.

„Nicht zustehen? Seien Sie froh, dass wir ihn gemacht
haben, und dass Sie trotzdem noch auf Ihrem Posten sind,
Herr Admiral. Wie die anderen Herren übrigens auch."

---

* russ. für Glawnoje Raswedywatelnoje Uprawlenije, Militärgeheimdienst

Der Marinestabschef sah zu seinen Kollegen. Die wirkten seltsam verlegen. Als seien sie bei etwas Verbotenem ertappt worden. Das dazu noch hochpeinlich war.

„Sie haben das überall durchgezogen?", fragte der Admiral.

„Der Präsident hatte die Freundlichkeit, uns dazu zu ermächtigen", erwiderte il caskar in gewohnter Herablassung. „Haben Sie nun die Güte, daraus Lehren zu ziehen, um sich Ihrer Position würdig zu erweisen. In Russland wären Sie dafür nach Sibirien gewandert. Mindestens."

Ort: Psyche, Moskau, Lubjanka

„Ich hoffe, die Genossen wurden für ihr Versagen nach Sibirien geschickt?", fragte der Mann vom GRU seinen Kollegen vom Lubjanka Platz.

Der KGB Mann grinste. „Niemand wird je wieder etwas von ihnen hören."

„Wenn die Genossen vom Geheimdienst Ihre geheimen Besprechungen beenden könnten, um mir zuzuhören, wäre ich Ihnen dankbar", wies il caskar die beiden sofort zurecht.

„Um das zu erreichen, was wir wollen, hat das Politbüro beschlossen, die Organisation SMERSch wieder ins Leben zu rufen", fuhr er fort.

Das darauffolgende heftige Geflüster nahm il caskar lächelnd zur Kenntnis. Abakumows SMERSch war gefürchtet und berüchtigt gewesen. Niemand hatte dem hingerichteten General eine Träne nachgeweint.

„Natürlich nicht unter der Leitung von General Abakumow. Der wurde rechtmäßig zum Tode verurteilt und steht deshalb für diese Position nicht mehr zur Verfügung", erläuterte il caskar mit einer Miene, die deutlich darauf hinwies, dass man sich irgendwann nach Abakumow sehnen würde.

Augenblicklich war Ruhe.

Bis der Oberst vom KGB zögerlich die Hand hob.

il caskar nickte ihm zu.

„Hat SMERSch die gleichen Befugnisse wie damals?", fragte er.

„Sie wurden noch ein wenig erweitert", erwiderte il caskar absichtlich unklar. Seine Befugnisse hatte Wihtania nämlich eingeschränkt. Vollkommen unpassend, wie er fand.

„Können Sie uns diese Erweiterungen näher erläutern", hakte der KGB-Oberst nach.

„Das darf ich leider nicht", log il caskar.

Dann sah er in die Runde, lächelte, als habe er gerade entschieden, welchen der anwesenden Genossen er als ersten verspeisen wolle, und erklärte: „Es wird keine offiziellen SMERSch-Abteilungen in den anderen Institutionen geben."

Als er sah, wie beruhigend die anderen das fanden, fügte er hinzu: „Offiziell. Weil wir Ihnen nicht verraten werden, welche Genossen auch für uns arbeiten."

Sofort war wieder eine kalte, einengende Angst bei allen Anwesenden spürbar.

Außer bei il caskar natürlich. Der fand diese Atmosphäre der Angst äußerst hilfreich.

„Das sollte Ihnen die nötige Motivation geben, liebe Genossen" fuhr er in seinen Ausführungen fort. „SMERSch soll sich diesmal nicht nur um Saboteure in unserem Land kümmern, sondern um die, die von außerhalb kommen. Einen Namen haben wir also bereits. Nun müssen wir nur noch überlegen, wie wir die anstehenden Aufgaben verteilen."

Ort: Washington, DC, Pentagon

„Nachdem alle Aufgaben verteilt wurden, meine Herren, benötigen wir noch einen Namen für unsere Organisation. Sie soll zukünftig dafür sorgen, dass unsere Atomwaffen, egal, wo sie stationiert sind, sicher sind. Gibt es Vorschläge?"

„Wie wäre es mit S.P.E.C.T.R.E.?", fragte der Admiral.

„Spectre klingt nicht schlecht. Ich fürchte aber, es wird sich immer irgendein Superagent finden, der so ein Gespenst fertig macht", mäkelte il caskar.

„Und wie wäre es mit U.N.C.L.E.?", kam ein weiterer Vorschlag nach längerem Schweigen von einem General.

„Ein sehr familiärer Name. Wofür soll dieses Akronym stehen?", hörte man il caskar seine Verblüffung an.

„Ganz einfach, für United Network Command for Law Enforcement", erklärte der Chef des Tactical Air Command.

il caskar sah, wie Aidoneus, der sich, wie immer, sehr im Hintergrund hielt, nur grinsend den Kopf schüttelte.

Also erklärte il caskar: „Ich fürchte, unter diesem Namen nimmt uns niemand ernst. Das klingt eher nach Hollywood."

Diesmal dauerte das Schweigen wesentlich länger.

„A.G.E.N.T. wäre vielleicht eine passende Bezeichnung? Erstens werden wir solche sein und außerdem könnte es für Autonomous, Giant and Effective Network for Terminating stehen", schlug der Stabschef der US-Army vor.

„Klingt sehr konstruiert", warf il caskar ein, sah dann aber, wie Aidoneus heftig nickte, „aber ich denke, A.G.E.N.T. ist eine treffende Bezeichnung."

Ort: Psyche, Berlin, Grunewald, Villa Eberbach

„A.G.E.N.T. ist eine treffende Bezeichnung?", fragte il caskar einen RaumZeitSprung später seinen Partner.

„Aidoneus Get an Excellent New Torso kling doch prima. Vor allem, weil es so kommen wird", erwiderte Aidoneus.

„Dazu müssen wir nicht nur auf beiden Seiten des Eisernen Vorhangs die richtigen Strippen ziehen, sondern uns auch noch gegen Kowalski und seinen Neuen Hohen Rat wehren", erwiderte il caskar skeptisch.

„Das ist uns doch gut gelungen."

„Gut gelungen? Alles, was wir bisher angepackt haben, hat er hintertrieben."

„Das ist nun mal so. Manche Pläne gehen nie ganz in Erfüllung. Haben wir nicht prächtige Aufstände in Polen und Ungarn organisiert?"

„Die dazu führen sollten, dass die Russen Panzer schicken, um demonstrierende Bürger plattzuwalzen?", fragte il caskar.

Aidoneus nickte strahlend.

il caskar sah ihn böse an. „Hast du vergessen, dass keine Panzer geschickt wurden? Kowalski hat dafür gesorgt, dass der Eklat unterbleibt. Chruschtschow und Konsorten wollten keine sowjetischen Panzer auf dem Budapester Heldenplatz. Das passt nicht zu ihrer neuen demokratischen Grundeinstellung. Breschnew hätte Panzer geschickt. Aber den wolltest du ja in Kasachstan haben."

„Dort wird er noch sehr wichtig sein, glaub mir das", ließ sich Aidoneus die gute Laune nicht verderben.

„Und weil er dort so wichtig ist, haben wir jetzt Gulaschkommunismus in Ungarn und freie Gewerkschaften in Polen? Das wollten wir nicht. Alles, was wir wollten, ist schiefgegangen", warf ihm il caskar wütend vor.

Aidoneus lächelte immer noch und fragte: „Hast du immer noch nicht mitbekommen, dass man Herrschaft immer teilen muss? Wichtig dabei ist nur ...?"

„Das größere Stück vom Kuchen zu bekommen?"

„Falsch. Wichtig ist, das richtige Stück vom Kuchen zu bekommen. Mein richtiges Stück vom Kuchen kenne ich. Sophia Demeter hat mir einen ihrer unvergleichlichen, unzerstörbaren göttlichen Körper gefertigt. Als ehemalige

Humangenetikerin fiel ihr das nicht schwer. Es ist immer gut, wenn Götter früher anständige Berufe erlernt haben. Habe ich nie."

„Ich auch nicht."

„Was ist dann unsere Stärke?", fragte Aidoneus.

„Das ist einfach. Unsere Skrupellosigkeit."

„Ohne die wirst du nur ein Teil des Hohen Rates sein."

Ort: Psyche, Berlin, Grunewald, Villa Kowalski

„il caskar ist Teil des Neuen Hohen Rates und macht gemeinsame Sache mit Aidoneus. Wie lange wollen wir uns das noch mit ansehen?", nörgelte Sakania.

„So lange er uns damit nützlich ist", erwiderte Ala Skaunia und erklärte: „Wir sind uns doch einig, dass Psyche den Menschen, die hier wohnen, als Welt erhalten bleiben muss?"

Alle nickten.

„Aidoneus will das nicht. il caskar weiß nicht, was er wirklich will. Irgendwann muss er sich entscheiden."

„Ich bin für eine klare Grenzsetzung", erwiderte Sakania heftig. „Er muss sich entscheiden, ob er zu den Guten, also zu uns, oder zum Bösen, also zu Aidoneus halten will."

„Genau das ist dein Problem, Sakania. Es gibt kein Gut oder Böse. Deshalb sind wir beides", korrigierte Ala Skaunia.

„Ich gehöre zu den Guten", widersprach Sakania sofort.

„Nein, du bist auch böse", widersprach Kowalski. „Im Moment bist du eine böse Tochter, die sich weigert, mit ihrem Vater zu sprechen."

Sakania wollte gerade heftig reagieren, aber Kowalski hob die Hand. „Wir können gern später streiten. Jetzt nicht, denn es kann jeden Moment losgehen. Die beiden wollen eine Übung zum Ernstfall eskalieren lassen. Statt einer Simulation, soll alles in Echt geschehen. Mit Atomraketen, die wirklich starten. Wir wollen das nicht. Wir wollen sehen, wie gut unsere eingebauten Sicherheiten sind."

Ort: Psyche, Washington, D.C., Weißes Haus

„Natürlich gibt es Sicherheiten, Sir", versicherte Schuler seinem Präsidenten. „Denken Sie an die Sache in Nordkorea, als General MacArthur einen Atomkrieg forderte, den Sie, richtigerweise, ablehnten, Sir."

Der General im Präsidentenstuhl lächelte leicht und nickte Schuler zu, der solle mit Erklären fortzufahren.

Schuler wandte sich an die anwesenden Militärs.

„Meine Herren, im Moment sieht die Direktive von Kongress und Repräsentantenhaus vor, dass ein Atomschlag nur mit Billigung beider Häuser und Genehmigung des Präsidenten zu erfolgen hat. Unsere Atomwaffen haben entsprechende Sicherungen. Welche, werde ich Ihnen nicht verraten."

„Weil Sie das nicht wollen?", fragte der Vorsitzende des Joint Chiefs of Staff*.

„Nein, Sir. Weil ich das nicht kann. Ich kenne sie selbst nicht", log Schuler so geschickt, dass es alle akzeptierten.

„Wie kann die ganze Sache dann funktioniere?"

„Durch Kompetenzen-Teilung", erläuterte Schuler. „Beim Geheimdienst geht man schon lange so vor. Jeder weiß nur das, was er wissen muss. Keiner weiß alles. Jeder kennt auch nur seine eigenen Aktivierungscodes. Die Offiziere, die die Atomwaffen befehligen, wissen, wie sie vorzugehen haben, sollte es zum Ernstfall kommen."

Ort: Psyche, Moskau, Kreml

„Wir können die Waffen also sofort abfeuern, sollte es zum Ernstfall kommen?", fragte Chruschtschow. Er wollte sicher gehen, dass bei dieser Simulation nichts schiefging.

il caskar nickte. „Bei einem Angriff unsererseits ist das kein Problem. Wir überraschen den Gegner, er kann nicht zurückschlagen. Was aber, wenn wir angegriffen werden?"

„Dann bestände die Möglichkeit, dass niemand mehr da ist, der die Befehle für den Gegenschlag erteilen kann", verstand Chruschtschow sofort, was il caskar wollte.

„Diese Fähigkeit zum Zweitschlag muss uns aber erhalten bleiben", stimmte der zu. „Daran arbeiten wir im Moment. Dieses System wird „Tote Hand" heißen. Es ist aber leider noch nicht implementiert."

---

* die Vereinten Stabschefs haben nur beratende Funktion

il caskar sah amüsiert, wie unangenehm den anwesenden Genossen der Gedanke war, einen Atomkrieg auslösen oder sich gegen diesen wehren zu müssen. Mit diesen Menschen war einfach nichts los. Richtig, dass ihnen diese Entscheidung abgenommen wurde. Von il caskar und Aidoneus.

„Wenn der Genosse Chruschtschow so freundlich wäre, den Angriffsbefehl zu geben", bat ihn il caskar.

Chruschtschow sah ihn misstrauisch an. „Sie sind sich sicher, dass es nur eine Übung ist, Genosse General?"

Ort: Psyche, Washington, D.C.

„Keine Angst, Mr. President", beruhigte Schuler, „es ist nur eine Übung. Bitte starten Sie unsere Waffensysteme."

„Habe ich, Schuler. Und was passiert jetzt?"

„Zuerst einmal nichts. Die Kommandeure verifizieren, ob der Befehl von der richtigen Stelle kam und die richtigen Codes enthielt."

„Und wenn er die richtigen Codes enthält, startet er seine Waffen?", fragte der US-Präsident.

„Würden Sie das wünschen, Sir? Dass es so einfach wäre?"

Ort: Psyche, Moskau, Kreml

„So einfach ist das?", fragte Chruschtschow entsetzt, „der Kommandeur bekommt die richtigen Codes und startet seine Waffen?"

„Natürlich nicht, Genosse Vorsitzender. Eine weitere Sicherheit ist eingebaut. Er fragt zurück", erwiderte il caskar in entwaffnender Harmlosigkeit.

„Er fragt zurück? Woher weiß er, dass er mit uns spricht?"

„Auch das ist codiert, Genosse Vorsitzender. Je nachdem welche Zahlen Sie vorlesen, weiß er, dass Sie es sind. Und er weiß dann auch, ob es eine Übung ist oder der Ernstfall. Verwechseln Sie also bitte die Zahlen nicht, Genosse Vorsitzender. Sonst beginnt ein Atomkrieg."

Man sah Chruschtschow an, dass er wenig Lust auf einen Atomkrieg hatte. Auch nicht auf die Übung eines solchen.

Ort: Psyche, Serpuchow 15, südlich von Moskau

„Es ist eine Übung", sagte Oberst Petrow, „da bin ich mir ganz sicher. Sie war angekündigt."

Sein Stellvertreter sah ihn mit blassem Gesicht an. „Die Codes sind eindeutig, Genosse Oberst. Es sind Codes für den Abschuss scharfer Waffen."

„Das werden wir gleich klären. Schließlich haben wir den Auftrag, zurückzurufen", erklärte der Oberst in einer

Ruhe, die er nicht fühlte. „Stellen Sie die Verbindung mit dem Oberkommando her", befahl er dann dem weiblichen Feldwebel, die für die Kommunikation zuständig war.

Die reichte nur den Telefonhörer.

Der Oberst lauschte der Stimme am anderen Ende der Leitung. Erst schweigend. Dabei überlegte er, ob ihm die Täuschung wohl aufgefallen wäre, wenn er keinen Tipp bekommen hätte. Wenn ihm nicht jemand, dem er sehr vertraute, mitgeteilt hätte, bei der heutigen Übung würde man ihn betrügen wollen. Er solle genau lauschen, mit wem er spreche.

Dann wiederholte er die Zahlen, die ihm vorgelesen wurden, sehr laut und sehr deutlich.

„Der Code ist falsch, den Sie mir vorlesen", sagte er mit ruhiger und emotionsloser Stimme, nachdem er in dem entsprechenden Buch nachgesehen hatte.

Am anderen Ende der Leitung wurde die Stimme lauter und energischer.

„Nein, es liegt kein Irrtum vor", war der Oberst immer noch ruhig und bestimmt, „und ich werde auch nicht handeln, nur weil Sie mir das am Telefon befehlen. Was? Es geht um das Überleben der Rodina? Wir werden in diesem Moment angegriffen? Davon ist uns nichts bekannt."

Der Oberst sah auf die Bildschirme und in die Gesichter seiner Männer und Frauen, die ihn alle in angespannter Erwartung ansahen.

„Wie ich bereits sagte, Genosse Vorsitzender, nichts hier unten zeigt eine Bedrohungslage für das Volk der Sowjetunion. Gebe es die, würden wir es als erste erfahren. Was? Ja, da bin ich mir sehr sicher."

Wieder hörte man die Stimme aus dem Telefon, ohne deutlich verstehen zu können, was genau sie sagte. Fest stand, der Mann dort war sehr, sehr wütend.

Der Oberst indessen war weiterhin die Ruhe in Person. „Woher soll ich wissen, dass Sie der Genosse Vorsitzende sind, Genosse Vorsitzender?", fragte er in den Telefonhörer. „Nein, Genosse, ich habe Sie nicht persönlich kennengelernt. Ich kenne Sie nur aus dem Radio und vom Fernsehen."

Wieder sprach die Stimme. Heftig und eine ganze Weile. Oberst Petrow hörte konzentriert und mit unbewegtem Gesicht zu.

„Wenn ich Ihren Befehl nicht ausführe, werden viel mehr Menschen sterben, als im Großen Vaterländischen Krieg? Warum? Eine Bedrohungslage wurde uns nicht gemeldet."

Die Stimme aus dem Telefonhörer schien nun zu kreischen. Die anderen Anwesenden konnten sie hören, aber immer noch nicht verstehen.

„Ich lege jetzt auf. Den gegebenen Befehl verweigere ich. Vorerst. Wenn Sie wirklich der Genosse Chruschtschow sind, werden Sie in wenigen Minuten von mir hören."

Er legte den Telefonhörer auf und sah die junge Frau von den Nachrichtentruppen an. „Haben wir Zugang zum öffentlichen Moskauer Telefonnetz, mein Kind?"

Der als „mein Kind" angesprochene weibliche Feldwebel wies nur stumm auf einen anderen Apparat.

Der Oberst kramte einen Zettel aus der Brusttasche seiner Uniformjacke und wählte die Nummer, die er dort ablas.

Es dauerte eine Weile, bis die Verbindung aufgebaut war. Das zivile sowjetische Telefonnetz war für seine Unzuverlässigkeit genauso bekannt, wie für seine mangelnde Leistungsfähigkeit. Die Streitkräfte hatten deshalb eigene Kommunikationsmöglichkeiten. Aber denen hatte ja der Genosse Oberst gerade misstraut.

„Bor`ka?", fragte er, als die Verbindung stand, „sitzt du in der Telefonzentrale? Gut. Hier ist Stasik. Welcher Stasik? Wie viele kennst du denn? Ach, wenn ich dich anschnauze, erkennst du mich? Nein, es geht nicht um Eishockey, es geht um Leben und Tod. Verbinde mich bitte mit dem Genossen Chruschtschow. Was? Natürlich ist es dienstlich. Und eilig."

Kurz darauf sahen seine Untergebenen, wie der Genosse Oberst Haltung annahm. „Genosse Chruschtschow, hier ist Oberst Stanislaw Jewgrafowitsch Petrow, diensthabender Kommandeur des Bunkers 15 in Serpuchow ..."

Ort: Psyche, Moskau, Kreml

Chruschtschow legte zitternd den Telefonhörer auf. „Es waren die falschen Codes, Genosse General."

il caskar blieb ruhig. Niederlagen war er ja gewohnt. „Und der Oberst im Bunker hat das bemerkt? Guter Mann. Man sollte ihn zum General befördern", antwortete er deshalb. Und irgendwohin schicken, wo er nicht mehr stören konnte, dachte il caskar dann nur noch.

„Es wird sowieso eine Zwei-Mann-Lösung geben", erklärte Aidoneus. „Ich will dem ZK ja nichts unterstellen. Aber wer kann uns garantieren, dass nicht einer der Genossen die Nerven verliert und deshalb einen Krieg vom Zaun bricht?"

Ort: Psyche, Offutt Air Force Base, Nebraska, USA

„Wollen die einen Krieg vom Zaun brechen?", fragte der Oberst verblüfft.

„Was ist los, John?", fragte ihn sein Chef.

„Wir haben gerade die Codes für den Abschuss erhalten, Sir, und für die Freigabe für SIOP*, Sir. Ich denke, wir hatten nur eine Übung geplant? Und nun das hier?"

„Wir sind zwar hier am Arsch der Welt, aber so eine prägnante Änderung der Weltlage wäre uns doch sicher aufgefallen, John", meinte sein vorgesetzter General gutmütig.

Nebraska lag als Insel in der Mitte des riesigen Archipels Amerika. Deshalb war hier die Zentrale des Stratetic Air Command. Zumindest gegen Atombomben tragende Langstreckenbomber war man hier geschützt. Ob die lange Vorwarnzeit auch gegen Nuklearraketen half, sollte mit der heutigen Übung herausgefunden werden.

---

* Single Integrated Operational Plan, die amerikanische Umsetzung von dem, was il caskar und Aidoneus gerade auf ganz Psyche versuchten

„Ich mache keine Scherze, Sir", erwiderte ein sehr blasser Oberst, während er seine Notizen immer wieder mit dem streng geheimen Code-Buch verglich.

Nun wurde auch der General blass und kam näher.

Johns Vorgesetzter, General Curtis E. LeMay, hatte die Rosinenbomber in Westberlin kommandiert, bevor man ihn hierher versetzte. Er sah sich die Zettel mit den durchgegebenen Codes an.

„Das sind Abschussbefehle", rief er entsetzt. „Gibt es eine Bedrohungslage?", fragte er sofort ins Nebenzimmer. Hinter den Glasscheiben saßen nicht nur die Wetterfritzen der US-Air-Force. Dort war auch die Radarüberwachung des Amerikanischen Luftraumes untergebracht. Sollten die Russen Atomraketen abfeuern, wollte man in der Lage sein, schnell zurückzuschießen.

Der Kommandeur der Einheit schüttelte nur den Kopf.

„Ein Irrtum?", fragte LeMay den Oberst.

„Es sollte eine Übung sein, Sir. Von einem richtigen Krieg war nie die Rede", rechtfertigte der sein Zögern.

„Keine Angst, John, Offiziere sind dazu da, nachzudenken. Sie haben alles richtig gemacht", beruhigte ihn der General und wandte sich dann an den Kommunikationsoffizier: „Ich möchte eine Verbindung ins Weiße Haus. Sofort."

Ort: Psyche, Washington, D.C.

„Wir werden die Übung sofort beenden, General", befahl der US-Präsident. „Wir werden hier alle dazu erforderlichen Schritte unternehmen. Machen Sie bitte in Ihrem Bereich das Gleiche. Außerdem muss die Sache ausgewertet werden."

Die anderen Anwesenden sahen interessiert und fragend zu ihrem Präsidenten.

„Es gab eine Verwechslung der Abschuss-Codes. Den verantwortlichen Offizieren ist das zum Glück noch rechtzeitig aufgefallen. Sonst hätten wir Atomwaffen freigegeben", erklärte der US-Präsident deshalb.

„Sie haben Scheiße gebaut, Schuler", polterte der Vorsitzende der Joint Chiefs of Staff in, wie er meinte, angemessenem Zorn. Den Zorn, der wirklich in ihm brodelte, konnte er erfolgreich zurückhalten. Es hätte so ein schöner Atomkrieg werden können.

Dabei entging ihm, wie Schuler rasch einen Blick mit dem US-Präsidenten wechselte.

„Ich kann leider nicht Ihrer Meinung sein, General", erwiderte Schuler mit seiner gewohnten Ruhe. „Falls der Präsident falsche Codes erhält, damit ein Krieg beginnt, wo keiner beginnen soll, gibt es ebenfalls Sicherheiten. Wie wir sehen konnten, erfolgreiche Sicherheiten."

Der US-Präsident sah nach dieser kurzen Erklärung den Stabschef des Weißen Hauses an. „Das FBI soll eine Untersuchung einleiten. Ich weiß, dass es in unseren Reihen Leute gibt, die die Russen lieber gestern, als heute besiegen wollen. Die Codes waren falsch. Also hat jemand falschgespielt. Ich will wissen, wer dafür verantwortlich ist."

Der Stabschef nickte nur.

Schuler räusperte sich.

Der Präsident sah ihn an und erklärte: „Der CIA hat die mangelnde Sicherheit im Umgang mit unseren Atomwaffen aufgedeckt, Schuler. Obwohl er nicht dafür zuständig war. Diese Sache klärt das FBI."

„Es geht mir nicht um Kompetenzen, Sir", erwiderte Schuler. „Es geht mir um Sicherheit. Um schnelle Sicherheit. Jetzt und sofort."

„Sie haben einen Vorschlag dazu?"

„Wir wollten eine andere Art der Aktivierung der Atomraketen, Sir. Leider ist unser Vorschlag von den Stabschefs und ihren Kommandeuren abgelehnt worden."

„Und er ließe sich rasch umsetzen?"

„Mit sofortiger Wirkung, Sir. Wir behalten die Codes, personalisieren sie jedoch. Jeder bekommt seine eigenen, nur auf ihn zugeschnittenen Codes. So wissen die in Nebraska immer, mit wem sie es gerade zu tun haben. Ohne zurückrufen zu müssen. Denn das wird nicht immer möglich sein, Sir."

Der Präsident überlegte eine Weile und sah dann die anwesenden Militärs an. „Sind Sie einverstanden, meine Herren?"

Die nickten nur. Und sie gaben sich vergeblich Mühe, begeistert auszusehen.

Der Präsident war Politiker genug, um diesen Mangel an Begeisterung zu ignorieren. Der gerade überwundene Schreck half sehr dabei.

„Es gibt personalisierte Codes?", fragte er nach einigen Augenblicken des Schweigens Shuler. „Das habe ich nicht verstanden. Können Sie das näher erläutern?"

„Jeder, der dazu berechtigt ist, bekommt eine ID-Card. Jede gibt es nur einmal. Darauf befinden sich viele Zahlen. Er bestimmt, welche die richtigen sind. Dieser Code aktiviert dann die Waffen. Aber die Aktivierung der Waffen muss von mindestens zwei Personen autorisiert werden, Sir. Natürlich ist nicht jeder berechtigt, zu diesem Personenkreis zu zählen und eine Karte zu erhalten. Und sie müssen gemeinsam handeln, Sir. Um Fehler auszuschließen."

„Das ist richtig, Schuler. Menschen machen Fehler. Aber dass zwei Menschen fehlgehen, ist unwahrscheinlich."

„So ist es, Sir. Zumal die Direktive vorsieht, dass beide von den Kammern bestätigte und vereidigte Amtsträger sein müssen. Das heißt, die First Lady wird leider keinen Abschussbefehl erteilen können, Sir."

„Glauben Sie mir, Schuler, das will sie auch gar nicht."

Ort: Psyche, Berlin, Grunewald, Villa Eberbach

„Die wollten doch gar keinen Atomkrieg", erläuterte Aidoneus il caskar die eigentliche Ursache ihres Scheiterns. „Da ist es schwer, einen zu beginnen. Die Menschen haben halt ihren freien Willen."

„Erstaunlich. Der Neue Hohe Rat musste nichts tun. Die hatten einfach keine Lust auf Krieg", war il caskar enttäuscht.

„Ein paar Militärs hatten schon Lust. Nur die, auf die es ankam, nicht. Also müssen wir dort weiterarbeiten. Die richtigen Leute auf die richtigen Posten setzten", erklärte Aidoneus.

Was für ein Schwachsinn. Befehlshaber, die keinen Krieg wollen?", verstand il caskar nicht.

„Da saßen halt die richtigen Leute an der richtigen Stelle. Damit muss man immer rechnen", winkte Aidoneus ab.

„Also ist es wichtig, dass beim nächsten Mal nur unsere Leute an der richtigen Stelle sitzen?"

„Das werden wir schon hinkriegen", beruhigte Aidoneus.

„Woher kommt dein ständiger Optimismus? Wir scheitern dauernd", fragte il caskar.

„Du willst doch meinen Job? Dann gewöhn dir gleich meinen Optimismus an. Den wirst du dann immer haben."

il caskar sah ihn verständnislos an.

„Ich bin der Tod. Ich gewinne immer. Irgendwann", erklärte Aidoneus deshalb.

„Das heißt, es ist noch nicht zu Ende?", fragte il caskar verblüfft.

„Wenn ich versprechen, eine Welt, so wie sie ist, zu vernichten, dann halte ich dieses Versprechen auch. Schließlich bin ich der Tod. Mit mir bekommt es jeder zu tun. Irgendwann", erklärte Aidoneus mit einem viele Millionen Jahre alten Selbstbewusstsein.

il caskar wünschte sich, er hätte nur einen geringen Teil dieser Zuversicht. „Ich glaube nicht, dass uns unsere vielen Niederlagen irgendwann zum Sieg führen werden", zeigte er sich immer noch verzagt.

„Das wird es. Denn es fängt gerade mal an. Es ist unwichtig, dass wir verloren haben. Etwas anderes ist viel wichtiger. Wir haben grünes Licht für das System „Tote Hand". Vom Politbüro des ZK der KPdSU. Die Entscheidung über Krieg und Frieden Maschinen zu überlassen, macht die Sache viel einfacher. Also los, bereiten wir es vor."

8. Kapitel   Falcons And Doves[*]

„Atomkrieg ist Nervenkrieg, verstanden? Sie uns und wir sie, und wer sich als Erster in die Hosen macht, hat verloren."

A.&B. Strugatzki, „Die zweite Invasion der Marsmenschen", (Erde, 1967)

Ort: Psyche, Sowjetunion, (geheimes) Labor Nr. 2

Der Genosse Chruschtschow war begeistert.

Die anderen Genossen des Politbüros teilten diese Begeisterung weniger, zeigten es aber nicht offen.

Dann hätten sie nämlich zugeben müssen, dass sie nichts von dem verstanden hatten, was ihnen gerade erklärt wurde. Es war schon eine Zumutung und Sauerei an sich, in die kasachische Steppe zu reisen. Die Kontrollen am und im geheimen Labor Nr. 2 waren für die Politbüromitglieder genau so streng, wie für alle anderen. Sauerei Nr. 2 also.

Dann hatte ihnen ein Ukrainer in perfektem, aber hochwissenschaftlichen Russisch erklärt, warum die Erforschung der Raumfahrt für die Leistungsfähigkeit von Nuklearraketen so wichtig war.

---

[*] engl.: Falken und Tauben (gemeint sind Kriegstreiber und Pazifisten)

Koroljow hatte ihnen zum Ende ihres Rundganges Objekt D vorgestellt. Einen zivilen Satelliten, der mit einer Interkontinentalrakete ins Weltall geschickt werden sollte. Um dieses zu erkunden und bemannte Missionen vorzubereiten. Die Ingenieure wollten so die Überlegenheit des Kommunismus demonstrieren.

Nun konnten die Politbüromitglieder das erste Mal eine anerkennende Miene zeigen. Die Überlegenheit des Kommunismus zu zeigen war richtig und begrüßenswert. Das taten sie jeden Tag. Allerdings in ihren Büros und bei Dingen, von denen sie glaubten, etwas zu verstehen.

Das mit dem Flug ins Weltall, das war schon großartig. Gewiss. Aber um die Überlegenheit des Kommunismus zu demonstrieren, genügte es doch vollkommen, Mehrfachsprengköpfe auf die Interkontinentalraketen zu setzen.

Ort: Psyche, Washington, D.C., Weißes Haus

„Was wissen wir über die Mehrfachsprengköpfe der Chinesen", fragte der Präsident.

„Wir vermuten, die sind genauso gut wie die russischen", antwortete der neuernannte CIA-Direktor glatt.

„Sind Sie jetzt Politiker geworden, General", bekam er einen kleinen Rüffel seines Oberbefehlshabers, „dass Sie mir solche Antworten geben? Wie gut sind denn die russischen?"

Der Viersternegeneral schaffte es, nicht rot zu werden. „Sie werden verstehen, Mr. President, dass die Russen militärische Geheimnisse so gut schützen wie wir. Wir gehen davon aus, dass ihre Raketen zumindest den unseren ebenbürtig sind."

„Wir wissen nichts darüber?", fragte der Präsident den CIA Chef erstaunt.

„Nein, Sir. Wir wissen nicht einmal, wer ihre Konstrukteure sind, noch wo sie konstruieren. Das Land ist nicht nur riesig, man kann sich darin auch nicht frei bewegen. Das macht es für unsere Agenten vor Ort sehr schwer."

„Es wäre aber gut, wenn wir etwas wüssten. Haben wir nicht diesen Schuler? Er ist doch Asienexperte, oder nicht?"

Der General, der jetzt die Agency leitete, konnte ein leichtes Hüsteln nicht unterdrücken. Vor Schuler war er gewarnt worden. Von seinem Vorgänger, den wir als il caskar kennen. Der hatte darum gebeten, Schuler aus dem Verkehr zu ziehen.

„Schuler war bisher auf die Sicherheit unserer Nuklearwaffen angesetzt", erklärte er deshalb vorsichtig. „Soweit ich weiß, ist ihm das gut gelungen. Im Moment habe ich ihn beurlaubt, aber er hält sich zur Verfügung."

„Ein Mann wie Schuler ist beurlaubt und hält sich zur Verfügung?", fragte der Präsident erstaunt.

Natürlich, dachte der CIA Direktor, und wenn es nach mir ginge, macht er das bis zu meiner Pensionierung. Allerdings fragt ein US-Präsident solche Sachen normalerweise nicht. Leute wie Schuler lagen weit unter seinem Wahrnehmungshorizont. Dachte der CIA Direktor beunruhigt.

Was wollte sein oberster Chef also von ihm? Der Direktor tastete sich langsam vor: „Die Chinesen sind sehr stark geworden. So stark, dass sie gern alle Gebiete wiederhätten, die vor dem Nazikrieg zu China gehörten."

„Das lässt sich nicht übersehen", stimmte ihm der US-Präsident zu. Mehr nicht.

„China ist sehr nah. China hat Atomwaffen", führte der CIA-Direktor weiter aus. Er wusste immer noch nicht, welches Ziel sein Chef bei diesem Vieraugengespräch mit dem Sicherheitsberater als Zeugen, anstrebte. „Jede Eskalation in diesem Bereich betrifft uns direkt. Ich hatte vor, Schuler dort einzusetzen. Als Field Officer", improvisierte er.

„Sie meinen, er soll in China direkt spionieren? Ich hatte an eine administrative Aufgabe für Schuler gedacht. Aber gut", überlegte der US-Präsident. Dann fuhr er in einem Tonfall fort, der keinen Widerspruch duldete: „Wenn die Probleme in China vorbei sind, wird Schuler die rechte Hand des DDI."

„Er wird was?", fragte der CIA-Chef verblüfft.

„Assistent des Direktors, der für die Nachrichtenbeschaffung zuständig ist", erklärte der US-Präsident.

„Warum?", kam die zögerliche Frage.

„Schuler wird ihn ersetzen. Spätestens in zwei Jahren. Ich will nicht, dass wir nochmal mit runtergelassener Hose erwischt werden, wie diesmal", erklärte der US-Präsident.

„Wir sind mit runtergelassener Hose erwischt worden?", verstand der CIA Direktor nicht.

„Wie wollen Sie die Scheiße sonst nennen, die sich in der Straße von Formosa abspielt?", fragte sein Chef in einem so ungnädigen Tonfall, dass der CIA-Direktor erschrak.

„Es ist sehr ungünstig, was dort geschieht", gab er zu.

„Die Chinesen konzentrieren fast ihre gesamte Flotte in der Straße von Formosa. Sie haben mehr Soldaten einsatzbereit, als sie auf der Insel Platz finden würden. Gleichzeitig drohen sie uns mit ihren Atomwaffen, wir sollten uns nicht einmischen. Es sei ein Innerchinesischer Konflikt", zeigte der US-Präsident nun sehr deutlich, was er von der politischen Entwicklung nördlich der Vereinigten Staaten hielt.

„Das haben sie in Indochina auch gesagt. Wollen wir ihnen ganz Asien überlassen, nur weil sie da mal vor vielen hundert Jahren regiert haben?", fragte der Sicherheitsberater. Auch, um den CIA Chef aus der Schusslinie zu nehmen.

„Ich nehme diese Frage als rhetorisch, Jack", erwiderte der US-Präsident entschlossen. „Wir werden den Chinesen genauso wenig den Einmarsch auf Taiwan gestatten, wie wir ihre Ausdehnung in Indochina tolerierten. Die Frage ist daher, was werden wir dagegen unternehmen?"

Ort: Psyche, Berlin, Grunewald, Villa Eberbach

„Ein Konzert ist alles, was Sakania gegen die allgemeine Kriegshysterie unternehmen will?", fragte il caskar erstaunt.

„Zweifelst du an den Fähigkeiten deiner Gegnerin? Ein solcher Fehler dürfte dir doch nicht mehr unterlaufen, nach den Niederlagen, die du bereits gegen Sakania hattest", erwiderte Aidoneus spöttisch.

„Du nimmst das ernst?"

„Ich nehme Sakania immer ernst. Sie ist die stärkste Gegnerin, die ich bisher hatte. Und ich hatte viele berühmte Gegnerinnen", erwiderte Aidoneus mit einer Ernsthaftigkeit, die il caskar zum Nachdenken anregen sollte.

„Von denen Sakania die stärkste ist? Dann haben die anderen nichts getaugt", erklärte il caskar verächtlich.

„Deine Mutter war auch darunter."

„Du hast gegen meine Mutter gekämpft? Aber warum? Sie ist deine Schwester", verstand il caskar nicht.

„Du hast gegen den schwarzen Herzog gekämpft, der dein Cousin ist. Oder dein Onkel. Wie man's nimmt."*

„Du kämpfst im Moment gegen alle und jeden. Ohne Rücksicht auf Verluste. Was versprichst du dir eigentlich davon?"

---

* Tante, Onkel, etc. sind unter Göttern keine Verwandten (die sind nämlich alle miteinander verwandt, sind alle Brüder bzw. Schwestern oder Eltern und deren Kinder), sondern Hinweise auf das Machtverhältnis zueinander; Cousin/Cousine heißt gleiches Machtverhältnis; Tante/Onkel bedeutet höheres Machtverhältnis

„Das weißt du doch. Einen unsterblichen Körper und die Freiheit", erklärte Aidoneus in wohlgespielter Bescheidenheit.

il caskar winkte ab. „Das erzählst du allen. Mir machst du nichts vor. Du spielst mit vollem Risiko, also ist der Einsatz viel höher. Du willst ein Arbiter Deus werden, nicht wahr?"

Aidoneus sah ihn an. Lange. Was er dabei dachte, war ihm nicht anzumerken. „Ich will also ein Arbiter Deus werden, meinst du? Weißt du überhaupt, was das ist?"

„Natürlich. Mein größtes Talent ist, Dinge herauszufinden, die mich nichts angehen."

Ort: Psyche, „M. A. Ramius", sowjetisches U-Boot

„Die Auseinandersetzung zwischen China und Taiwan geht uns nichts an, Genossen", bekräftigte der Politoffizier, „unsere Aufgabe besteht darin, die Rodina zu schützen. Und dieser Aufgabe werden wir nachkommen."

„Darüber besteht doch absoluter Konsens, Genosse Maslennikow", bestätigte der Kapitän. „Der wichtigste Aspekt ist doch, dass wir drei uns einig sind, wenn es hart auf hart geht. Wir müssen schließlich alle zustimmen, bevor wir unsere Waffen einsetzen dürfen."

„Ein so mächtiges Schiff, wie unseres, war noch nie so nah bei einem potenziellen Kriegsherd", begann der Politoffizier seine Gedanken darzulegen. „Dieses Schiff wurde als Erstschlagswaffe konzipiert. Aber es ist auch stark genug, sich zu verteidigen."

„Sie wollen sich in die Auseinandersetzung einmischen?", fragte der Erste Offizier entsetzt.

„Einmischen?", tat der Politoffizier, als sei er nicht richtig verstanden worden. „Unsere Einsatzbefehle bringen uns ziemlich nah an das Krisengebiet heran."

„Wir sind in einer Krisenzone. Als wir die Befehle erhielten, hier unsere Übungen zu machen, war das noch nicht abzusehen", gab der Kapitän zu bedenken.

„Aber unsere Befehle sind nun mal so formuliert", erklärte der Politoffizier. „Und wir haben kein Recht, daran etwas zu ändern."

Der Kapitän nickte nur und sah seinen Ersten Offizier an. Der nickte ebenfalls. Beide sahen zum Politoffizier, der sie ansah, als stünde das Jolkafest vor der Tür.

„Wir werden also unsere Übungen abhalten, wie es geplant war", legte der Kapitän nach diesem stummen Gespräch zu dritt fest. „Aber wenn es zur Eskalation kommen sollte und wir angegriffen werden?", fragte er. Dabei sah er seinen ersten Offizier an.

„Wir sind auf höchster Alarmstufe, Genosse Kapitän", bekräftigte der. „Das heißt, wenn wir angegriffen werden, müssen wir uns verteidigen."

Ort: Psyche, USS Farragut, Lenkwaffenkreuzer

„Wir verteidigen uns nur, meine Herren. Ich wünsche natürlich nicht, dass aus dieser angespannten Lage ein Krieg wird", erklärte der Admiral und wurde für diese Lüge nicht vom Meer verschlungen.

Der Kapitän der „USS Farragut" versuchte ihn zwar mit bösen Blicken zu durchbohren. Aber Admiräle sind für gewöhnlich dagegen immun.

„Ich hoffe, Sie sind sich dieser Tatsache bewusst. Hier und heute kann ein weiterer Weltkrieg losgehen. Den werden wir natürlich nicht verlieren." Der Admiral nahm die Besonderheit der Stille, die seinen Worten folgte, zwar wahr, interpretierte sie aber falsch. Er glaubte, die Besatzung sehne ebenfalls einen Krieg herbei. Gute Leute eben, auf die ein Admiral sich verlassen konnte.

Der Kapitän des Schiffes unterbrach das Schweigen mit einem Räuspern. „Wir werden alles unternehmen, was die Situation erfordert, Sir. Da können Sie sicher sein."

„Gut. Dann werde ich wieder auf die „Enterprise" zurückkehren", sagte der Admiral und erwiderte das stramme Grüßen der Offiziere mit einem leutseligen Nicken.

„Was meinen Sie, Commander? Ob dieser Mann uns alle in einen Krieg treibt, den er zu gewinnen hofft?", fragte der Kapitän, als der Admiral gegangen war.

Der XO* lächelte. „Nicht, wenn er auf der „Enterprise" ist, Sir. Von einem Schiff dieses Namens wird nie ein Krieg ausgehen, egal wie gut es bewaffnet ist."

---

* XO steht für Executive Officer, auf Schiffe der US-Navy der Erste Offizier

Ort: Psyche, Moskau, Kreml

„Egal wie gut die Waffen der Chinesen sind, wir lassen uns von ihnen nicht in einen Krieg hineinziehen. Das werde ich dem Großen Vorsitzenden persönlich sagen, Genossen", bekräftigte Chruschtschow nochmals den gemeinsamen Standpunkt des Politbüros zur gegenwärtigen Lage in China.

Die anderen Genossen nickten.

„Kann ja sein, dass die Chinesen diese kleine Insel gern wiederhaben möchten. Warum auch immer", erklärte Chruschtschow und sah seinen Verteidigungsminister an.

„Aber die Rodina wird davon nicht tangiert", bekräftigte der. „Wenn die Chinesen ihr Imperium vervollständigen wollen, müssen sie auch stark genug dazu sein."

Das zustimmende Gemurmel machte eine Abstimmung überflüssig. Russen sind eben solche Nationalisten, wie die Angehörigen anderer mächtiger Völker. Und sie hatten gerade ausreichend zu tun, ihr eigenes Imperium zusammenzuhalten. Außerdem hielten sie von den Chinesen genau so wenig, wie die von ihnen. Kommunismus hin oder her.

Der Vorsitzende drückte auf einen Knopf seiner Wechselsprechanlage. „Machen Sie mir eine direkte Verbindung von Peking hierher in unser Besprechungszimmer, Genossin. Was? Ja, der Genosse Mao soll wissen, dass alle hier mithören, was ich ihm zu sagen habe ..."

Ort: Psyche, USA, White Lake, NY

„Hast du uns alles gesagt, was du über diesen ganzen Schwachsinn weißt?", fragte Sakania eindringlich.

„Natürlich", log il caskar routiniert. „Warum sollte ich dich belügen?"

„Weil du schon immer deine kleinen billigen Spielchen machst", erwiderte Sakania verächtlich.

„Dann musst du ja keine Angst haben, dass es diesmal wieder so läuft. Bisher hast du mich immer geschlagen."

„Wir wollen dich nicht besiegen, il caskar", meinte Takhtusho mit seiner gewohnten Naivität, ehe jemand anderes etwas sagen konnte, „wir sind Freunde, arbeiten in der gleichen Community und am gleichen Ziel."

il caskar sah sich verächtlich auf dem riesigen Farmgelände um. Normaler Weise weideten hier Kühe. Das sah man und man roch es auch. Aber ganz unten, wo sich die sanft abfallenden Wiesen trafen, waren Arbeiter emsig damit beschäftig, eine Bühne aufzubauen und riesige Boxentürme aufzustellen.

Ein Konzert war geplant. Die angesagtesten Bands hatte man angefragt, ob sie spielen wollten.

Viele von ihnen hatten Nein gesagt.

Also hatte man bei weniger angesagten nachgefragt und bei Sängerinnen, Sängern und Bands, die keiner kannte. Die Zusage war gewaltig. Die Gagen hielten sich in Grenzen.

Man rechnete auch nicht mit vielen Zuschauern. Ein paar hundert, vielleicht ein paar Tausend. Die würden sich in dem weiträumigen Gelände verlaufen.

Trotzdem sollte es ein großes Event werden. il caskar
hoffte, das Event in der Formosastraße würde größer.

Ort: Psyche, USS Enterprise

„Was für eine große Ansammlung von Wasserfahrzeu-
gen", freute sich der Admiral, als er auf die taktische Tafel
sah.

Die war durchsichtig. So war gut zu erkennen, wie Soldaten Meldungen entgegennahmen und deren Ergebnisse
auf der Tafel einzeichneten. Spiegelverkehrt. So dass die
hohen Offiziere sie von der anderen Seite her bequem lesen
konnten.

Der CAG* wies darauf. „Die Stellung der einzelnen Einheiten sind gut zu erkennen. Im Moment sehen wir die
Lage relativ entspannt."

„Entspannt?", war der Admiral erstaunt. „Es wird einen
Krieg geben. Ich spüre das. Und wir werden ihn gewinnen."

Der CAG lächelte nicht. Er sagte auch nicht, was er
dachte.

Ganz ruhig antwortete er: „Nichts auf dem chinesischen Festland deutet darauf hin, dass die Chinesen wirklich eine Invasion planen, Sir. Im Gegenteil. Inzwischen haben wir ganz andere Informationen. Ich darf Ihnen einen
Herrn vorstellen, den Sie nicht kennen und der nie hier

---

* Commander Air Group, Kommandeur des Trägergeschwaders
und der Trägerkampfgruppe der US Navy

gewesen ist. Mr. Schuler, wenn Sie bitte zu uns kommen würden?"

Er nickte einem Herrn in der Uniform eines Commanders der Navy zu, der daraufhin vortrat und alle sehr ernst ansah.

„Die Kacke ist viel mehr am Dampfen, als wir alle glaubten, meine Herren. Wie wir erfuhren, haben die Chinesen Informationen erhalten, dass sie von Taiwan aus angegriffen werden sollten. Informationen, die zutreffend sind."

„Wie bitte?", fragte der Admiral entrüstet. „Wer sollte denn einen solchen Schwachsinn vorhaben."

Schuler lächelte. „Nun, der General, der die Insel regiert, möchte gern Kaiser von China sein. Oder was auch immer. Kaiser auf Formosa reicht ihm nicht."

„Aber er darf nicht angreifen ohne unser Einverständnis", erwiderte der Admiral mit einer Entrüstung, die Shuler sehr gut verstand. Denn der wusste von den Absprachen zwischen den beiden. Und von dem Krieg, den beide wollten.

Nichts davon entnahm man jedoch seiner Antwort: „Richtig, Admiral. Dieses Recht glaubt er zu haben. Irgendein hoher Offizier der Vereinigten Staaten muss ihm versichert haben, dass wir hinter ihm stehen. Egal, wie umfangreich der Krieg auch sein wird, in den er uns hineinziehen will. Leider wissen wir nicht, mit wem diese Absprachen erfolgten."

„Soll das heißen, die Vereinigten Staaten werden ihm nicht gegen die Chinesen beistehen?", fragte der Admiral entrüstet.

„Die USA sind momentan nicht an einem weiteren Pazifikkrieg interessiert, Sir", erwiderte Shuler ruhig.

„Aber wir müssen ihm zur Seite stehen", gab der Admiral zu bedenken. „Taiwan ist ein wichtiges Bollwerk gegen den Kommunismus. Lassen wir seinen Untergang zu, schwächen wir uns direkt vor unserer Haustür."

„Taiwan geschieht nichts. Die Chinesen hatten niemals vor, Taiwan anzugreifen. Sie würden einen Bürgerkrieg riskieren. Dafür fühlen sie sich nicht stark genug", erläuterte Schuler. „Ihnen wurde erfolgreich vermittelt, dass sie angegriffen werden sollen. Von dieser Insel aus. Ihre Truppenmassierung soll nur der Abschreckung dienen."

„Davon wird sich die Taiwanesische Regierung nicht abschrecken lassen. Die haben keine Angst vor den Kommunisten", war sich der Admiral sicher.

Schuler lächelte nur. Es war immer gut, Informationen zu verifizieren. Nun war er sich ganz sicher, dass der Admiral der Kriegstreiber auf amerikanischer Seite war.

„Das wissen wir bereits, Admiral", erklärte er ihm mit unerschütterlicher Ruhe. „Damit Taiwan sich auf friedlichere Gesten besinnt, hat Uncle Sam seine Treibstofflieferungen eingestellt. Kein Kerosin heißt, keine fliegenden Flugzeuge. Das bedeutet auch, kein Angriff auf das chinesische Festland."

Mit versteckter Freude sah Schuler die heftige Enttäuschung im Gesicht des Admirals, die dieser kaum verbergen konnte. „Trotzdem haben die Chinesen riesige Militärverbände auf ihrer Seite der Straße von Formosa."

„Verstehen Sie doch die chinesischen Genossen ein wenig, Herr Admiral", war Schuler immer noch die Ruhe und die Geduld in Person. „Die haben drei furchtbare Jahre der

Misswirtschaft hinter sich. Millionen ihrer Landsleute sind verhungert. Ihr Volk gleicht einem Pulverfass, das jeden Moment explodieren kann. Da trifft man Vorsichtsmaßnahmen."

Ort: Psyche, White Lake, NY

„Haben wir alle erforderlichen Vorsichtsmaßnahmen getroffen?", fragte Sakania besorgt.

„Haben wir", beruhigte Kowalski, während Takhtusho seine Frau ganz fest in die Arme nahm.

„Irgendwann wird sich il caskar schon diese kleinen Intrigen abgewöhnen und offen mit uns zusammenarbeiten", erklärte Takhtusho mit einer Zuversicht, die die anderen nicht teilen konnten.

Sakania sah zur MindNetProjektion, „Denkst du, dass du die Sache im Griff hast?"

„Natürlich. Es ist einfach nur eine große, schmutzige Intrige", erwiderte Schuler verächtlich. „Über mehrere Länder und genau mit den richtigen Leuten. Was das Aussuchen der richtigen Leute betrifft, ist Aidoneus unschlagbar. Schlimm ist, dass es solche Leute auf Psyche überhaupt gibt."

„Leute, die meinen, einen Atomkrieg gewinnen zu können", stimmte ihm Takhtusho verächtlich zu.

„Also los", forderte Kowalski auf, „lasst uns mit der Trance beginnen, damit wir die kommenden Ereignisse unter Kontrolle behalten. Wir wollen doch nicht, dass irgendjemand anfängt, mit Atomwaffen zu schießen."

Ort: Psyche, USS Farragut, Lenkwaffenkreuzer

„Und wenn das U-Boot Atomwaffen an Bord hat, Sir?",
fragte der Sonaroffizier ängstlich.

Der Kapitän schüttelte den Kopf. „Das ist im höchsten
Maße unwahrscheinlich. Sie haben doch gesagt, es sei ein
kleineres russisches Boot."

„Scheint ein Jagd U-Boot zu sein, so schnell wie es ist."

„Die haben keine Atomraketen."

„Und Atomtorpedos?"

„Atomtorpedos? Die Russen?" Der Kapitän lächelte.
„Trauen Sie denen mal nicht zu viel zu."

Der Kapitän hatte keine Mühe, seine Ängste nicht zu
zeigen. Gerade weil das seiner Besatzung so schwerfiel. Ein
Vorbild zu sein, war ihm noch nie schwergefallen.

Irgendwie würde er die Sache deichseln. Ohne gegen die
schwachsinnigen Befehle des Admirals zu verstoßen.
Würde er dem nachkommen, wäre ein Krieg die Folge.

Er straffte sich, als er einen Entschluss und einen Plan
gefasst hatte.

„Gehen Sie auf Volle Kraft", befahl er. „Wir holen uns
den Russen."

Ort: Psyche, „M. A. Ramius", sowjetisches U-Boot

„Holen uns die Amerikaner ein?", fragte der Kapitän den Mann am Sonar.

Der schüttelte nur den Kopf, während er weiter konzentriert arbeitete.

Das war gar nicht so einfach. Aus umfangreichen Gründen, die alle etwas mit Physik und solchem Zeugs zu tun hatten, waren hier unten fast 60 Grad Celsius. Die Luftfeuchtigkeit betrug (gefühlte) 200%.

Als würde das nicht ausreichen, befanden sich über dem Wasser ausschließlich feindliche Fahrzeuge. Die auch noch in der Überzahl waren. Getroffene U-Boote sanken unvermeidlich. Der Tod der Besatzung dabei war ebenso unvermeidlich. Kein sehr schneller und sanfter Tod. Aber ein sehr sicherer. Jeder an Bord wusste das.

Auch der Kapitän.

Aber der lächelte und sah auf seinen Ersten Offizier: „Siehst du, Wasja, unsere Führung hat recht, die Amerikaner haben nichts Gleichwertiges gegen unsere neue U-Boot Klasse. Hecht ist eigentlich eine zu friedliche Bezeichnung dafür. Hai wäre angemessener gewesen."

„Es ist nur eine Übung, Walja ...", erinnerte der Erste Offizier seinen Kapitän.

„Ja, aber unter Gefechtsbedingungen. Wir halten weiter mit voller Kraft auf die „Enterprise" zu und werden beobachten, was die Amerikaner dagegen unternehmen, und dass sie uns nicht einholen können."

Ort: Psyche, USS Farragut, Lenkwaffenkreuzer

„Wir können Sie nicht einholen?", fragte der Erste Offizier überrascht. „Aber es ist ein U-Boot. Die machen maximal zweiundzwanzig Knoten. Wir sind mindestens zehn Knoten schneller."

„Sind wir nicht. Das Sonar hat recht. Es muss eine neue U-Boot Klasse sein", erwiderte sein Kapitän.

„Sie setzen eine neue U-Boot Klasse in einer solchen Auseinandersetzung ein?", wunderte sich der Erste Offizier.

„Warum nicht. Wer würde nicht gern seine neuesten Waffen vor Ort haben, wenn es hart auf hart geht."

„Hart auf hart? Wir sind nicht im Krieg, Skipper. Wir sollten die Russen nicht provozieren", mahnte der Erste Offizier.

„Wir provozieren Sie? Sehen Sie sich den Kurs des Russen an. Dann wissen Sie, auf welches Ziel der zusteuert", erklärte der Kapitän aufgebracht.

Der Erste Offizier folgte diesem Befehl und wurde blass.

„Wir müssen Hilfe anfordern. Das Ding steuert Big E an. Denen wird es nicht gefallen, ein russisches U-Boot in der Nähe zu haben", erklärte er.

Der Kapitän nickte. „Verbinden Sie mich mit der „Enterprise". Sofort."

Ort: Psyche, „M. A. Ramius", sowjetisches U-Boot

„Wir bedrohen die „Enterprise". Das ist keine gute Idee. Es wird den Amerikanern nicht gefallen, dass wir so nah an ihrem modernsten Flugzeugträger sind, Walja", gab der Erste Offizier seinem Kapitän zu bedenken.

Der Kapitän sah ihn überrascht an. „Meinst du, ich gehe zu weit? Es ist nur eine Übung. Wir befinden uns nicht im Krieg."

„Unsere Einsatzbestimmungen sahen zwar vor, die Leistungen unseres Schtschuka-B zu testen. Aber damals wusste doch keiner, was hier los sein würde", versuchte es der Erste Offizier immer noch mit Vernunft.

Dem Politoffizier gefiel das nicht. „Wir zeigen Entschlossenheit und Flexibilität in der Interpretation unserer Einsatzbefehle. In der Tradition unserer ruhmreichen Flotte. Wenn Amerikaner hier sind, ist das gut. Auch, wenn unsere Befehle deren Anwesenheit gar nicht vorsahen."

„Nein. Die hatten nur vor, dass ein paar chinesische Verbände den Feind spielen. Nun nehmen wir halt die Amerikaner. Ist auch besser so. Die sind der Feind", stimmte der Kapitän seinem Politoffizier zu.

„Wir sind nur ein Boot, Genosse Kapitän", wurde der Erste Offizier nun viel förmlicher, „deshalb bitte ich Sie, das Eigentum des Volkes der Sowjetunion nicht einer unnützen Gefahr auszusetzen, sondern für den richtigen Ernstfall vorzuhalten."

Ort: Psyche, USS Enterprise

„Sie meinen, die Russen könnten einen Ernstfall provozieren wollen?", fragte der Admiral erstaunt.

Er hatte Mühe, seine Freude zu unterdrücken.

Dass dieser Commander Shuler irgendein Pentagon-Heini war, der seine Kriegspläne versauen wollte, war klar. Es schien schon fast alles verloren. Fast.

Zum Glück war dieser Russe aufgetaucht. Der Kapitän schien ein richtiger Draufgänger zu sein.

Sein Stabschef überlegte eine Weile und nickte dann. „Der Kapitän der „Farragut" schätzt die Lage so ein. Die Sonarsignatur des U-Bootes ist unbekannt. Also kann es nur ein Russe sein, mit dem wir es noch nie zu tun hatten. Es ist ein neues U-Boot und es ist schnell. Also ist es eine Angriffswaffe. Welche, wissen wir nicht."

„Präzise Einschätzung. Wie immer. Meinen Sie, die greifen die „Enterprise" an? Mitten im Frieden?", hoffte der Admiral.

„Hier draußen ist die Kacke am Dampfen, Sir. So haben Kriege immer angefangen, Sir. Mit Situationen, deren Eskalation keiner mehr im Griff hatte."

Dem Stabschef entging nicht, dass sein Kommandeur plötzlich leuchtende Augen bekam und mit einer Begeisterung, die er in dieser Situation nicht für angemessen hielt, antwortete: „Wir sorgen für einen ausreichenden Schutz rund um die „Enterprise", lassen aber das feindliche Boot so weit heran, das sie uns angreifen könnten. Verstanden?"

Ort: Psyche, USS Farragut, Lenkwaffenkreuzer

„Die Russen werden denken, wir greifen sie an", meinte der Erste Offizier entsetzt.

„Natürlich werden sie das denken", hatte sein Kapitän Mühe, die Ruhe zu bewahren.

„Ich hoffe, diese Bomben werden sie von Big E fernhalten", antwortete sein Erster Offizier.

„Der Admiral hat nicht vor, sie fernzuhalten", knurrte der Kapitän.

„Er will sie zum Auftauchen zwingen?", vermutete der Erste Offizier.

„Und ob er das will. Wir werden ein Enterkommando an Bord schicken und ihr schnelles, neues Boot unter die Lupe nehmen."

„Und wenn sie auf unsere Übungsbomben mit Torpedos reagieren?"

„Dann verteidigen wir uns."

„Das ist der Wahnsinn, Skipper. Wir riskieren einen Krieg. Mitten im Frieden", gab der Erste Offizier zu bedenken.

Der Kapitän sah seinen Ersten Offizier an. Beide klärten ohne Worte, wie weit sie gehen würden.

Der Kapitän nickte dann und sagte: „Wir führen die Befehle aus. Der Admiral will nur, dass sie auftauchen, damit wir sie uns ansehen können. So ein neues Boot ist schon mal ein kleines Risiko wert."

Ort: Psyche, „M. A. Ramius", sowjetisches U-Boot

„Wir dürfen keine Risiken mehr eingehen, Genosse Kapitän. Gehen wir auf maximale Tauchtiefe und sehen zu, dass wir hier wegkommen", schlug der Erste Offizier vor.

„Wir kneifen nicht, Wassili Alexandrowitsch, nicht vor den Amerikanern", wies ihn der Politoffizier zurecht.

„Kneifen? Wir ziehen uns zurück, ehe die Situation eskaliert, Iwan Iwanowitsch. Dieses Boot ist zu wertvoll."

In diesem Moment erschütterte eine Explosion das Schiff, der ein dumpfes Geräusch folgte.

„Unterwasserbomben", meldete der Sonarmann, der sich kurz die Kopfhörer heruntergerissen hatte, sie aber sofort wieder aufsetzte und weiter lauschte.

„Sind es Übungsbomben?", fragte der Erste Offizier.

Der Sonarmann zuckte nur hilflos die Schulter.

„Übungsbomben?", fragte der Politoffizier wütend. „Was soll denn der Scheiß?"

„Wir sollen auftauchen", erklärte der Erste Offizier.

„Auftauchen? Warum?", fragte der Politoffizier.

„Schätze mal, die sind neugierig geworden und wollen sich das neue russische U-Boot aus der Nähe ansehen."

„Das darf auf keinen Fall geschehen", wies der Politoffizier den Kapitän an.

Aber der wusste das natürlich und hatte bereits Befehle gegeben, um abzutauchen.

Ort: Psyche, USS Farragut, Lenkwaffenkreuzer

„Er taucht ab, Sir", kam die Meldung vom Sonarmann.

„Torpedorohre fertig machen, Feuerleitlösung errechnen. Warten auf meinen Befehl zum Abfeuern", erwiderte der Kapitän automatisch.

„Wollen wir die Russen angreifen, nachdem wir sie mit Übungsbomben beschmissen haben?", fragte der Erste Offizier entsetzt. „Es ist noch kein Krieg zwischen unseren Ländern."

Ort: Psyche, „M. A. Ramius", sowjetisches U-Boot

„Es ist noch kein Krieg, Genossen. Wir haben kein Recht, so etwas zu befehlen", gab der Erste Offizier zu bedenken.

„Wir haben das Recht, uns zu verteidigen, Wassili Alexandrowitsch", wies der Politoffizier den Ersten Offizier zurecht. „Einen Angriff mit Wasserbomben mitten in Friedenszeiten kann man wohl kaum ignorieren."

„Da gebe ich Ihnen Recht, Iwan Iwanowitsch. Dann schicken wir ein Übungstorpedo und vergelten so Gleiches mit Gleichem", schlug der Erste Offizier vor.

„Unser Torpedo wird ihnen zeigen, dass mit uns nicht zu scherzen ist. Seine elf Kilotonnen sollten ausreichen, die Enterprise zu versenken", blieb der Politoffizier stur bei den Befehlen, die er bereits erteilt hatte.

„Ist „Das Ding" klar?", fragte der Politoffizier durch das Schiffstelefon und nickte zufrieden, als er die Antwort hörte.

Dann wandte er sich an den Unteroffizier, der die Waffensysteme bediente, und erklärte schneidig: „Der Nukleartorpedo wurde aktiviert. Einlegen, Feuerleitlösung berechnen und dann Abfeuern auf meinen Befehl."

„Zu Befehl, Genosse Maslennikow", salutierte der Unteroffizier und zögerte dann.

„Was haben Sie, Mann?", fragte der Politoffizier.

„Sie müssen Ihre Schlüssel einstecken, Genossen. Eher habe ich keinen Zugriff auf den Torpedo."

„Ich habe meinen Schlüssel schon eingesteckt und den Torpedo scharf gemacht. Also vorwärts, Genosse Sergeant."

„Die Schlüssel des Genossen Kapitän und des Genossen Archipow sind ebenfalls nötig", wies der Unteroffizier hin.

Ort: Psyche, USS Enterprise

„Darf ich Sie darauf hinweisen, Sir, dass Sie nicht allein berechtigt sind, einen Angriffsbefehl zu geben, Sir", erwiderte der CAG fest.

Der Admiral sah ihn wütend an. „Wir haben jederzeit das Recht, uns gegen Angriffe zu verteidigen, Captain. Dazu benötigen wir keine Genehmigung des Präsidenten oder eines anderen Sesselfurzers."

„Ich habe Ihre Bemerkung gerade überhört, Sir. Ich möchte Sie stattdessen nochmals bitten, die Schiffe abzuziehen, die sich in der Nähe des russischen U Bootes befinden."

„Niemals."

Ort: Psyche, „M. A. Ramius", sowjetisches U-Boot

„Niemals? Sie weigern sich, unseren Befehlen zu gehorchen, Genosse Archipow", schrie der Politoffizier fast.

Nicht ganz so laut. Ein U-Boot ist nicht sehr groß und man hatte sich deshalb in die Offiziersmesse zurückgezogen, um die Differenzen nicht vor den anderen Besatzungsmitgliedern austragen zu müssen.

Archipow wusste, warum der Politoffizier so wütete. Der Kapitän war unentschlossen. Der Politoffizier wollte den Kapitän von seine Angriffsplänen überzeugen und Archipow einschüchtern.

Aber der blieb fest. „Was die Aktivierung der Nuklearwaffen betrifft, habe ich nur den Befehlen zu gehorchen, die mir bei der Aushändigung des Schlüssels gegeben wurden. Ein Angriff in Friedenszeiten gehört nicht dazu."

„Die Amerikaner haben angefangen", giftete der Politoffizier. „Sie haben uns mit Wasserbomben angegriffen und damit den Frieden gebrochen."

Archipow sah zu seinem Kapitän. Der schwitzte. Wie alle hier. Aber er schwieg noch.

Also versuchte Archipow, ihn auf seine Seite zu ziehen: „Ich glaube, es waren Übungsbomben. Keine hat irgendeinen Schaden an unserem Schiff angerichtet. Das mit Nuklearwaffen zu vergelten, ist nicht angemessen."

„Ihr Verhalten ist nicht angemessen. Ich werde Sie verhaften lassen und Ihnen den Schlüssel abnehmen. Dann werden Sie sich vor einem Kriegsgericht verantworten müssen."

Ort: Psyche, USS Enterprise

„Sie werden sich für diesen Vorfall ebenfalls vor einem Kriegsgericht verantworten müssen", giftete der Admiral, während ihn zwei US-Marines abführten.

„Wir werden uns für diesen Vorfall alle verantworten müssen", gab der CAG zu. „Hoffen wir, dass die Russen ebenso vernünftig sind, und die Sache nicht weiter eskaliert."

Ort: Psyche, „M. A. Ramius", sowjetisches U-Boot

„Wir lassen die Situation nicht weiter eskalieren", sagte der Kapitän bestimmt.

Das hysterische Kreischen des Politoffiziers und sein Plan, den Ersten Offizier festnehmen zu wollen, hatte das Gegenteil dessen erreicht, was er beabsichtigt hatte.

Er sah den Politoffizier an. „Genosse Maslennikow, auf meinem Schiff wird niemand festgenommen, weil er sich an seine Befehle hält."

„Auf Ihrem Schiff?", echauffierter der sich noch mehr. „Dieses Schiff ist Eigentum des Volkes der Sowjetunion, Genosse Kapitän, dem Sie zu dienen haben."

„Dem ich dienen, indem ich einen Atomkrieg vom Zaun breche? Ich glaube nicht, Genosse Maslennikow."

In diesem Moment klopfte es an die Tür der Messe und der Kapitän befahl, einzutreten.

Der Unteroffizier öffnete, salutierte und meldete, dass die feindlichen Schiffe im Rückzug begriffen seien.

„Dann werden wir uns ebenfalls zurückziehen", entschied der Kapitän. „Gehen wir auf die Brücke und tun wir das, wofür man uns dieses Schiff anvertraut hat."

Ort: Psyche, Washington, D.C., Weißes Haus

„Psyche wurde uns anvertraut, Shuler?", fragte der US-Präsident erstaunt.

„Wäre das kein Standpunkt, Sir? Wir haben die Möglichkeit, Psyche gründlich zu vernichten. Wollen wir das?", fragte der CIA-Field-Officer seinen Präsidenten.

„Wie können Sie so etwas fragen?", antwortete der mit einer Gegenfrage. „Natürlich wollen wir das nicht."

„Dann sollten wir uns noch besser schützen."

„Noch besser? Geht das?"

„Scandia hat uns ein Angebot gemacht, Sir. Für ein rotes Telefon", erklärte Shuler.

„Warum ein rotes Telefon?", fragte der US-Präsident.

„Es kann bei uns auch rot, blau und weiß gekennzeichnet sein", war Shuler bereit, nationale Kompromisse einzugehen. „Hauptsache ist, man erkennt es sofort."

„Warum?"

„Weil es eine direkte Verbindung nach Moskau darstellen wird. Eine, die zu jeder Zeit existiert und funktioniert."

„Die Skandinavier sind technisch schon immer weiter als wir", musste der Präsident zugeben, auch wenn ihm das nicht gefiel. Die Idee an sich schien ihm zu gefallen.

„Ich könnte also zu jeder Zeit mit Chruschtschow telefonieren und so direkt klären, ob sie irgendwelche Atomsprengköpfe auf uns abgeschossen haben?", fragte er.

„Nein, Sir, das können Sie nicht", konkretisierte Shuler. „Es wird eine Datenleitung sein, Sir. Die ist stabiler und kann mit Codes gesichert werden. Hätten wir keine Sicherheitscodes für den Abschuss eingebaut, wäre längst etwas Bedauernswertes geschehen."

Der ehemalige Oberbefehlshaber der alliierten Streitkräfte im Krieg gegen die Nazis und jetzige US-Präsident sah Shuler eine Weile an, ehe er sagte: „Ich werde nur noch ein paar Wochen im Amt sein, Shuler. Aber eine lahme Ente* bin ich noch lange nicht. Sie sind der neue Deputy Director Intelligence der CIA. Beide Häuser sind einverstanden. Die wissen, was Sie gerade geleistet haben. Ihre Vereidigung ist morgen."

Shuler dankte nur mit einem Nicken.

„Danken Sie mir nicht. Wir sind ein paar Mal ganz knapp am Weltuntergang vorbeigeschlittert, Shuler. Ich möchte, dass nach meinem Ausscheiden aus diesem Amt Leute da sind, die diese Tradition aufrechterhalten."

---

* „Lame Duck" (lahme Ente) ist die amerikanische Bezeichnung für Politiker, die bald ihr Amt abgeben; ein US-Präsident sollte dann auch (normalerweise) keine wichtigen Stellen besetzen

Intermezzo 4

„Es ist leicht, etwas zu vernichten, besonders etwas Großes. Schwieriger ist es, etwas zu verändern, ohne die gesamte Umgebung in Mitleidenschaft zu ziehen.“

Janet Morris, „Ein Sturm aus dem Abgrund“, (Erde, 1978)

Ort: Psyche, Schloss Ehrlichthausen

Er verschränkte die Arme vor der nackten Brust.

Sakania ließ ihre locker an der Seite herunterhängen und erwiderte offen seinen fordernden Blick. Sie würde nicht den ersten Schritt tun.

Schließlich war sie eine Frau.

Und im Recht.

Das ging vor. Auch ihrem Vater gegenüber.

„Du bist groß geworden“, sagte er.

Das stimmte. Inzwischen war sie größer als er. Bei Göttern bedeutete das, sie hatte mehr Macht als er.

„Wir wissen, was du mit Aidoneus für Absprachen getroffen hast“, stellte sie klar.

„Ich werde ihm nicht in den Rücken fallen, wenn er seine Pläne umsetzt“, stellte er klar.

„Du kennst seine Pläne?“

„Ihr kennt sie doch auch."

„Wir werden gegen ihn arbeiten", stellte sie ebenfalls klar.

„Na, das hoffe ich doch ganz stark. Wer sollte sich sonst dieses Privileg herausnehmen?", tat er erstaunt.

„Wir werden beweisen, dass wir ihm gewachsen sind."

„Ihr glaubt, ihm gewachsen zu sein? Wir werden sehen."

„Du wirst nichts gegen uns unternehmen?"

„Das habe ich nie getan."

„Ich weiß. Mutter hat mir alles erklärt."

„Dann steht einer Versöhnung also nichts im Wege?"

„Doch. Du."

Ort: Akromytikas

„Du bist noch der einzige, der unseren Plänen im Wege steht, il caskar", erklärte Aidoneus.

il caskar sah ihn an. „Ich stehe deinen Plänen nicht im Weg. Ich bin mir nur nicht sicher, ob sie so genial sind, wie du sie darstellst."

„Genial sind Menschenpläne. Die von Göttern sind durchdacht, wirkungsvoll und präzise", erklärte Aidoneus mit Ruhe.

„Aber sie nutzen meist nur dem Gott, der sie verwirklicht."

„Also dir und mir, denn wir verwirklichen sie ja."

„Du verwirklichst deine Pläne. Ich weiß nicht, ob es richtig ist, die Atomwaffen der Menschen dazu zu missbrauchen, ihre Welt zu vernichten", gab il caskar zu bedenken.

„Für diesen Missbrauch wurden sie doch geschaffen."

„Die Idee Petas war, ein Gleichgewicht des Schreckens hervorzurufen. So schrecklich, dass keiner mehr Lust auf Krieg hat."

„Es wird immer jemanden geben, der Lust auf Krieg hat", widersprach ihm Aidoneus. „Es ist nun mal eine Eigenheit von Waffen, dass sie töten können. Auch, wenn das gar nicht beabsichtigt war. Glaub mir, der Gott des Todes kennt sich darin bestens aus."

„Willst du ihnen das demonstrieren?"

Aidoneus zeigte ein diabolisches Lächeln, das dem des schwarzen Herzogs erschreckend ähnlich war. „Ich möchte ihnen eine Lehre erteilen. Wie furchtbar die ausfällt, hängt von vielen Faktoren ab."

„Auch von mir?", wollte il caskar wissen.

Aidoneus Lächeln wurde noch diabolischer. „Vor allem von dir."

„Dann werde ich mir Mühe geben."

Ort: Selachii

Die Selachii gaben sich Mühe. Aber sie konnten Takhtusho nicht besiegen. Er war schneller als sie. Er war stärker als sie. Und, was am wichtigsten war, er kannte weder Skrupel noch Regeln, wenn er kämpfte. Kämpfte Takhtusho, gab es für ihn nur eine Regel: Er wollte unbedingt gewinnen.

Als fast alle Selachii besiegt waren und nur noch der Wächter übrigblieb, verwandelte sich Takhtusho in einen Hai. In einen riesigen Weißen Hai. „Ich werde in dieser Gestalt gegen dich kämpfen", signalisierten seine Gedanken dem Wächter. „Wenn ich so gegen dich kämpfe, lernst du mich besser kennen."

Ort: Terra Nostra, Schloss Richard Renatus´

„*Takhtusho lernt endlich die Selachii kennen*", kommentierte Richard Renatus das, was alle, die bei ihm zu Gast waren, gerade im MindNet gesehen und wir gelesen hatten.

„*Megalodon hat sich dämlich angestellt. Schickt ihm solche Träume, in der Hoffnung, Takhtusho könne darin umkommen. Auf deine Visionen ist da mehr Verlass*", erwiderte der schwarze Herzog.

„*Richtig. Und damit meine Visionen wahr werden, müssen wir ähnlich gut zusammenstehen, wie bei Alexandras Heilung. Immerhin gilt es diesmal, einen Atomkrieg zu verhindern.*"

Bei diesen Worten sah er nur in eine Richtung.

„*Du musst mich nicht so ansehen*", verteidigte sich il caskars Mutter. „*Ich habe dir bei deiner Frau geholfen. Hier geht es um meinen Sohn. Glaubst du, ich kneife.*"

„*Nein. Dazu steht auch für dich zu viel auf dem Spiel. Es gibt nur drei Unsicherheitsfaktoren: Die Unerfahrenheit des Neuen Hohen Rates, die Ambivalenz il caskars und die Zielstrebigkeit Aidoneus´.*"

„*Mit all dem kommen wir klar*", wischte der schwarze Herzog den Einwand vom Tisch, „*wenn Peta, dieser gottverdammte Feigling, endlich den Mut fasst, sich bei seiner Tochter zu entschuldigen.*"

Ort: *Psyche, Schloss Ehrlichthausen*

„Du willst eine Entschuldigung?", fragte Peta.

„Wäre das nicht angemessen?", fragte Sakania zurück.

„Götter entschuldigen sich nicht", versuchte er, sich zu wehren.

„Bisher. Ich denke, es ist an der Zeit, diese Tradition zu brechen", blieb Sakania eisern.

„Ich soll damit anfangen?", fragte Peta verblüfft.

„Du bist der Gott des Widerspruches. Warum fällt es dir so schwer, Konflikte zu lösen, die du hervorgerufen hast?"

„Weil das nicht meine Aufgabe ist."

Ort: *Selachii*

Die Aufgabe des Wächters hatte darin bestanden, den Eingang zu seiner Welt zu verteidigen. Takhtusho spürte das Gefühl des Wächters, bei dieser Aufgabe versagt zu haben.

Das Gegenteil war der Fall. Der Wächter hatte genau das getan, wofür ihn Megalodon vor vielen hundert Jahren ausgesucht hatte. Nach dem Kampf mit Takhtusho verstand er das.

Ort: **Akromytikas**

„Nun hat Takhtusho alles verstanden. Schöne Scheiße das. Wir müssen uns beeilen. Diese Welt muss vernichtet werden, bevor die Selachii sie finden", kommentierte Aidoneus, der gerade gesehen hatte, was wir lesen konnten.

„Wie sollen wir das schaffen? Du hast eine Wette angenommen, die du unmöglich gewinnen kannst", verstand il caskar nicht.

„Das scheint nur so. Der Feigling Peta kneift und versöhnt sich mit seiner Tochter. Gut so. Nun haben wir nur noch uns beide."

„Ich habe gehört, deine Verbündeten hatten immer das Nachsehen?", war il caskar immer noch misstrauisch.

Das stimmt, dachte Aidoneus. „Üble Nachrede, die jeder über sich ergehen lassen muss, wenn er erfolgreich ist", antwortete er.

il caskar musterte ihn. „Ich habe inzwischen dazugelernt. Und ich habe mächtige Freunde. Richtige Freunde. Nicht wie früher, als man mir gehorchte, weil man mich fürchtete."

„Gut. Dann haben wir doch den gleichen Weg. Mir gehorcht man, weil man es will. Willst du immer noch?", schien Aidoneus ungeduldig zu werden.

„Ich will die Sache beenden. Aber ich habe meinen Eltern versprochen, es auf die richtige Art zu tun. Auf die göttliche", warf sich il caskar in die inzwischen sehr muskulöse Brust.

„Göttlicher, als mit mir, geht es gar nicht. Glaub mir das", wurde Aidoneus noch ungeduldiger.

„Ich glaube dir nichts mehr. Ich werde alle deine Schritte beobachten und entsprechend reagieren, wenn wir unsere Sache auf Psyche zu Ende bringen", kam il caskar nun auf den Punkt.

272

„Aber wir bringen sie gemeinsam zu Ende? So oder so?", fragte Aidoneus, mühsam ein Grinsen unterdrückend.

il caskar sah ihn mit ernster Miene an.

Dann plötzlich das typische diabolische Grinsen der Familie Waldenburg zeigend, antwortete er: „So oder so? Das auf jeden Fall."

9. Kapitel   Vorbereitungen

„Manchmal müssen gewisse Leute eine gewisse Pflicht erfüllen, um anschließend vergessen zu werden."

Terry Pratchett, „Helle Barden", (Erde, 1993)

Ort: Psyche, Serpuchow, südlich von Moskau

Es sah aus, wie in einem Science-Fiction Film. Riesige Radarantennen verstreut auf dem Areal, dazwischen schwere LKW und einige Tieflader, auf denen sich Raketen befanden.

Nur die knackige Kälte, der fallende Schnee und die riesigen Wälder ringsum die Szene wiesen dezent darauf hin, dass man sich mitten in der Sowjetunion befand.

„Das ist jetzt Ihr Reich, Genosse General", bemerkt der Marschall der Sowjetunion.

Die Frau in Generalsuniform hinter dem Marschall lächelte nur. Es hieß, sie sei seine Geliebte. Der ehemalige Oberst zweifelte daran. Die Frau war die Schönste, die er je gesehen hatte. Was sollte sie an dem alten Marschall finden? Außerdem war sie mindestens einen Kopf größer als er.

„Das System ist eigentlich für das Abfangen von Bomberpulks gedacht, die Atomwaffen in die Rodina bringen", erklärte sie. „Unserer besten Wissenschaftler haben es so modifiziert. dass auch das Abfangen von ballistischen Raketen möglich ist. Hoffen wir, dass wir es nie einsetzen müssen."

„Sollte das der Fall sein, Genossin General, können Sie sich auf uns verlassen", erwiderte er schneidig.

„Das wissen wir, Genosse Petrow, das wissen wir", kam es gnädig vom Marschall. „Was Personalentscheidungen betrifft, verlasse ich mich ganz auf die Genossin von Ehrlichthausen. Darin ging sie noch nie fehl. Enttäuschen Sie sie nicht, General Petrow."

Er, diese Frau enttäuschen? Niemals. Eine andere Sache machte ihm trotzdem Kopfschmerzen „Woher wissen wir, dass unser System wirklich in der Lage ist, feindliche Interkontinentalraketen abzufangen, Genosse Marschall?"

„Das wissen wir, Genosse Petrow. Es ist streng geheim. Denn wir haben es erfolgreich getestet."

Ort: Psyche, Washington, D.C., Weißes Haus

„Der erfolgreiche Test unserer Raketenabwehr sagt gar nichts?", fragte der neue US-Präsident verblüfft.

Der Mann von Western Electric räusperte sich. „Wir haben dabei die Aufgabe, Sir, mit einer Gewehrkugel eine andere Gewehrkugel zu treffen. Einem ehemaligen Offizier wie Ihnen muss ich nichts weiter erklären."

„Es ist also unmöglich? Warum waren Sie dann erfolgreich?", fragte der Präsident verblüfft.

„Weil wir Daten hatten, Sir. Wir wussten, wann und wo die Rakete startet. Und konnten entsprechend reagieren. Das war wichtig. Wir wissen nun, wie leistungsfähig unser System ist und wie schnell unsere Rechner arbeiten."

„Außerdem wissen wir etwas noch viel besseres, Sir", fügte der Vorsitzende der Joint Chiefs of Staff hinzu. „Wir wissen, dass die Russen gelogen haben. Chruschtschow hat in aller Öffentlichkeit behauptet, sie besäßen bereits eine Anti-Raketen-Rakete. Das ist unmöglich, Sir. Wenn die so etwas hätten, dann hätten wir sie nämlich auch. Die sind nicht besser, als wir."

Ort: Psyche, Moskau, Kreml

„Wir sind besser, als die Amerikaner?", fragte Chruschtschow erfreut.

Koroljow nickte. „Wenn die Daten stimmen, die uns die Geheimdienste zur Verfügung gestellt haben, ist das der Fall."

Der Staatschef schob seinem Chefraketenentwickler etwas rüber. „Lesen Sie das bitte, Genosse Koroljow."

Danach war Koroljow baff. „Die berichten in ihren Zeitungen über ihre militärischen Forschungen?"

„So etwas nennen die Demokratie, Sergej Pawlowitsch. Rüstung kostet Steuergelder und deren Steuerzahler wollen wissen, wie viel und wofür. Fünf Milliarden haben die für ihr „Nike System" verpulvert. Und nicht mehr geschafft, als eine Rakete zu treffen, die sie selbst abgefeuert haben."

Der Konstrukteur überlegte eine Weile. „Wir könnten sie noch tiefer in den Boden stampfen", schlug er dann vor.

„Wie wollen Sie das anstellen?", fragte der Staatschef.

Ort: Psyche, Berlin, Villa Kowalski

„Was auch immer il caskar anstellt, wir haben doch jederzeit die Macht, diese technischen Spielzeuge aufzuhalten", erklärte Ala Skaunia.

„Die haben wir", bestätigte Kowalski. „Und dann?"

„Ist alles wieder gut?", schlug sie vor.

Kowalski schüttelte den Kopf. „Dann ist nichts gut. Inzwischen sind die Menschen in der Lage, diese Einmischung zu erkennen. Ihr Skeptizismus hindert sie noch daran, höhere Mächte zu akzeptieren. Also werden sie an anderen Stellen suchen. Und sie werden fündig. Was dann?"

Ala Skaunia musste nicht lange überlegen. „Wir geben uns auf einer internationalen Pressekonferenz zu erkennen, stellen uns vor und erklären dann allen, wie gut es wäre, wenn sie endlich aufhören würden, sich gegenseitig die Köpfe einzuschlagen. Wir könnten dann alle in den Ruhestand gehen, da wir nichts mehr zu tun hätten."

Beide sahen sich an und mussten lachen.

„Und ich hatte schon Angst, meine böse Ala Skaunia sei plötzlich lieb geworden", war Kowalski beruhigt.

„Würde mir nicht im Traum einfallen, alles über Bord zu werfen, was mich ausmacht. il caskar kann das viel besser."

„Er ist lieb geworden?"

„Viel schlimmer. Er ist jetzt ein Hippie."

„Er? Wieso denn das?"

„Bestimmt wegen der vielen willigen Muschis, die es dort gibt", erwiderte sie. „Dann muss er sich nicht mehr so anstrengen, eine in sein Bett zu bekommen."

Ort: Psyche, Sowjetunion, (geheimes) Labor Nr. 2

„Ich musste mich nicht einmal anstrengen, die Erlaubnis zu bekommen", schloss Koroljow lächelnd seinen Bericht.

Tichonrawow nickte anerkennend. „Und wie wollen wir das Problem lösen, dass deine Raketen zu schwach für meine Satelliten sind?"

„Ganz einfach. Du baust einen leichteren Satelliten. Es reicht vollkommen aus, wenn er nur funken kann."

„Was nutzt er uns dann dort oben?"

„Alle Welt kann ihn sehen und hören. Vor allem die Amerikaner", erklärte Koroljow seinem Stellvertreter.

„Verstehe. So zeigen wir ihnen, wie leistungsfähig unsere Raketen sind", verstand Tichonrawow.

„Richtig. Ihre sind es bestimmt nicht. Wenn doch, werden sie auch etwas nach oben schicken und sich so verraten."

„Du bist ein Fuchs, Serjoscha. Du zwingst den Kreml, das zu tun, was wir eigentlich wollen."

„Sie denken nur an die militärischen Aspekte. Aber wir, Mischa, wir werden die ersten sein, die Menschen ins Weltall schicken. Das ist mehr wert, als jede Atomrakete, die wir bisher gebaut haben."

Ort: Psyche, San Franzisko, Kalifornien

„Das ist mehr wert, als alles, was wir bisher geschaffen haben", sagte Takhtusho stolz.

il caskar musste ihm innerlich Recht geben. Er spürte eine Harmonie und Zufriedenheit unter den Menschen, die er sonst in dieser Welt selten kennen gelernt hatte.

Okay, das Klima hier lud regelrecht zum faul sein ein. Und irgendwie schafften sie es auch immer, dass alle genug zu essen und zu trinken hatten. Es gab keine Hierarchien und damit auch keinen Streit.

„Es ist alles Friede, Freude, Eierkuchen. Fast wie auf der Terra Nostra. Nur irgendwie besser", stimmte er zu.

„Weil es unser Friede ist, den wir für uns und für unsere Menschen geschaffen haben", erklärte Takhtusho.

„Leider wird es nicht ewig so friedlich bleiben. Irgendwann wird dieser Kalte Krieg in einen heißen umschlagen. Dann müssen sich deine Hippies entscheiden, ob sie kämpfen wollen oder untergehen."

„Das wird es nicht. Der Neue Hohe Rat hat alles im Griff", widersprach Takhtusho entschieden.

„Du glaubst, ihr habt Aidoneus im Griff?", fragte il caskar überrascht.

„Ich bin mir sicher. Weil du bei ihm bist und uns alles mitteilst, was er an Scheiße baut und plant. Schließlich bist du sein Bewährungshelfer", zeigte Takhtusho Vertrauen in il caskar.

„Irgendwie habt ihr da den Bock zum Gärtner gemacht."

„Du zweifelst immer noch an dir? Ich bin mir ganz sicher, du wirst an dieser Aufgabe nicht scheitern", schien Takhtusho mehr Vertrauen zu il caskar zu haben, als dieser selbst.

il caskar sah die naive Aufrichtigkeit seines Freundes, die er so oft schamlos missbraucht hatte, mit einem schlechten Gewissen. Aber Takhtusho strahlte einfach nur Zuversicht aus.

Eine Zuversicht, die il caskars Zerrissenheit noch verstärkte.

Ort: Psyche, Pasadena, Kalifornien

„Teilen Sie meine Zuversicht nicht?", fragte der Herr in Grau überrascht.

„Wenn ich nicht wüsste, dass Ihre Anweisungen von ganz oben kommen, würde ich das Ganze für die Idee eines Verrückten halten."

„Sie ist ein wenig schräg, das gebe ich zu. Aber sie hat auch einiges für sich", warb Aidoneus.

„Wir simulieren die Abschüsse von ballistischen Raketen, um zu sehen, ob die Russen darauf reagieren. Was ist, wenn sie nur eine Reaktion darauf haben. Uns mit all ihren Atomraketen anzugreifen?"

Aber das hoffe ich doch ganz stark, dachte Aidoneus. Dann bin ich eher mit allem fertig, als gedacht. „Die werden einen weltweiten Atomkrieg erst vom Zaun brechen, wenn sie sich sicher sind, wirklich angegriffen zu werden. Wir sorgen daher für Unsicherheit und testen, wie weit wir gehen wollen."

Ort: Psyche, Sowjetunion

„Wie weit wollen wir dabei gehen, Genosse Tainow?"

„Soweit wir können, Genosse General", antwortete Aidoneus. „Bedenken Sie bitte, dass wir im Vorteil sind. Im Gegensatz zu den Amerikanern, sind wir in der Lage, ballistische Raketen wirklich abzuwehren. Für die Rodina besteht also keine Gefahr."

Wenn Gefahr für die Rodina bestände, würde ich dich persönlich erwürgen, dachte der GRU General.

Insgeheim zweifelte er nämlich daran, sein Land habe solche Anti-Raketen-Raketen. Die politische Führung der Sowjetunion gefiel sich darin, ständig die Überlegenheit des Kommunismus hervorzuheben. Und das mit der Anti-Raketen-Rakete passte in dieses Bild.

Ort: Psyche, Washington, D.C., Weißes Haus

„Wenn die Anti-Raketen-Rakete nicht möglich ist, was dann, meine Herren?", fragte der US-Präsident.

Die Herren sahen sich nach dieser Frage ihres Präsidenten an. Nur eine Weile. Dann nickten alle dem Stabschef des Weißen Hauses zu.

„Die MAD-Doktrin, Mr. President", erklärte der.

„MAD-Doktrin? Die besagt, dass wir alle verrückt sind?"

„In gewisser Weise schon. Wir sind verrückt genug, Atomwaffen zu besitzen. Nun haben wir bereits so viele davon, dass keiner sie einsetzen kann. Und das wird zukünftig einen Krieg verhindern", war sich der Stabschef des Weißen Hauses sicher.

Der Präsident sah seinen Stabschef an. „Verstehe. Wer immer einen Krieg anfängt, muss sich sicher sein, dass der Gegner noch genug Kraft hat, so zurück zu schlagen, dass vom Angreifer ebenfalls nichts übrigbleibt."

„Richtig, Sir."

„Sind wir schon soweit?"

„Ja, Sir."

„Wissen das die Russen?"

Ort: Psyche, Moskau, Kreml

„Wissen die Amerikaner, dass wir so viele Atomwaffen haben, dass wir sie auch nach einem Angriff auslöschen können?", fragte Chruschtschow seine Politbürokollegen.

Die sahen sich an und überlegten, wer wohl die Antwort geben sollte. Der Chef des KGB war dann so mutig: „Wir geben uns große Mühe, dass sie so etwas erfahren."

„Soll das heißen, wir schützen uns nicht vor ihren Spionen?", fragte der Innenminister bissig.

„Spionage heißt nicht, fremde Spione zu erschießen, Genosse Kossygin", erwiderte der KGB-Chef. „James Bond ist nur eine Märchenfigur, nicht die Realität. Auch wenn sie ihn noch so sehr lieben."

„Haben wir keine SMERSch mehr?"

„Doch, aber diese Bullterrier unterstehen mir nicht. Meine Leute sorgen dafür, dass die Amerikaner so viel wissen, wie sie müssen", erklärte der KGB-Chef mit Entschiedenheit.

„Was müssen sie denn wissen?", interessierte sich nun auch der Genosse Chruschtschow.

„Wie gut wir sind. Besser, als es in Wirklichkeit ist. Und die ist schon sehr gut."

„Verstehe. Sie füttern sie mit Fehlinformationen."

„Nein. Mit einer gesunden Mischung überprüfbarer Fakten und Dingen, die sie sich selber zusammenreimen sollen."

„Und woher wissen Sie, dass sie sich das richtige zusammenreimen", verstand Chruschtschow nicht.

„Durch unsere Leute, die wir dort haben."

„Und ihre Leute, die sie bei uns haben ...?"

„Das ist ausgeschlossen. Dazu sind wir zu abgeschottet. Uns schaden nur die Überläufer, die wir ab und an mal haben. Aber dafür gibt es ja SMERSch", erklärte der Geheimdienstchef seinem obersten Boss die Kompetenzen der sowjetischen Geheimdienste.

„Gut. Was aber, wenn es Situationen gibt, die uns aus dem Ruder laufen. Wie damals vor Taiwan?"

„Da haben wir doch vorgesorgt", erklärte der KGB-Chef Andropow ruhig. „Es gibt Freischaltcodes, die nur durch Regierungsmitglieder aktiviert werden können. Wir haben das schon immer. Kollektive Kontrolle ist ein Wesensmerkmal des Kommunismus. Die Amerikaner haben das nun auch."

Ort: Psyche, Washington, D.C., Weißes Haus

„Hoffen wir nur, dass die Russen ähnliche Sicherheitsvorkehrungen getroffen haben, wie wir", sagte der US-Präsident.

„Wir wissen, dass es so ist", beruhigte ihn sein Stabschef.

„Wäre dann nur noch Operation Able Archer, die wieder einmal stattfindet. Ich möchte über Verlauf und Ergebnisse informiert werden."

„Geht klar, Sir", stimmte der Stabschef zu. „Wir wissen ja, was unter der alten Regierung fast alles schiefgelaufen wäre. Wir werden die Fehler der alten nicht wiederholen."

„Wir werden den alten Weltkriegsgeneralen schon zeigen, was die junge Generation taugt", stimmte der US-Präsident zu.

„Ich erfahre es auf jeden Fall. Ich werde Sie dann informieren", versicherte der Stabschef seinem Präsidenten.

„Schauen Sie denen auf die Finger. Sie sollen es so realistisch wie möglich machen, aber ja keinen Krieg vom Zaun brechen", war der US-Präsident vorsichtig wie immer.

„Das werden sie nicht. Es gibt keine erhöhte Gefechtsbereitschaft für die Truppen. Damit wollen wir jede Komplikation vermeiden", beruhigte der Stabschef.

„Gut, dann beenden wir die Besprechung. Ich werde am Wochenende in Camp David sein und mir das Footballspiel ansehen. Da mein persönlicher Football dabei ist, kann nichts passieren."

Ort: Psyche, Moskau, Kreml

„Was ist, wenn etwas passiert?", fragte Chruschtschow.

„Das wird es nicht, Genosse Vorsitzender", beruhigte Schukow. „Die Genossin von Ehrlichthausen ist mit den Sicherheitsauflagen betraut. Sie hat jede weitere Übung verboten, damit die Einsatzübung des Generalstabs nicht in die Hosen geht. Wäre doch fatal, wenn aus dem simulierten Atomkrieg plötzlich ein richtiger wird."

Ort: Psyche, Berlin, Villa Eberbach

„Wir sind diejenigen, die dafür sorgen, dass aus dem simulierten Atomkrieg ein richtiger wird. Ist das nicht toll?", fragte Aidoneus begeistert.

il caskar konnte Aidoneus´ Begeisterung nicht teilen.

Psyche vernichten und dann? Irgendwie hatte er sich an diese Welt gewöhnt. Nicht, dass ihm die Menschen ans Herz gewachsen wären. Das waren ja nur Menschen, also kaum wert, sich näher mit ihnen zu befassen.

Aber womit würde er sich befassen, wenn es diese Menschen nicht mehr gäbe?

Er spürte nicht einmal, wie ihn Aidoneus betrachtete.

„Fällt dir die Entscheidung plötzlich schwer?", fragte der nach einer Weile.

„Ist sie dir nicht schwergefallen?"

„Mir? Wenn ich mich für etwas entschieden habe, ist es entschieden. Wie kann ich irren? Ich bin ein Gott, die irren nicht. Das ist eine menschliche Schwäche."

„Dann kann ich sie nicht haben, denn ich bin nie ein Mensch gewesen", erkannte il caskar.

„Schön, dass du das endlich einsiehst", schien Aidoneus erleichtert zu sein. „Auch Rücksichtnahme oder Skrupel sind menschliche Schwächen. Götter entscheiden nach Notwendigkeiten. Ist es notwendig, Psyche zu vernichten?"

il caskar wollte ihm eine rasche Antwort geben, merkte aber schnell, dass er nicht dazu in der Lage war.

Genau in diesem Moment betrat seine Mutter den Salon. Ihr Braun war so strahlend, dass es fast deplatziert wirkte.

Zu il caskars Gemütszustand passte es zumindest nicht.

Seine Mutter schien das nicht zu bemerken, wo sie doch sonst die Empathie in Person war. Zumindest ihrem Sohn gegenüber.

Aber es kam noch schlimmer. Sie umarmte ihren Bruder und rief: „Ich freue mich, dass ihr endlich einen Weg gefunden habt, diesen ganzen Wirrwarr zu beenden. Gelingt euer Plan, werden wir alle frei sein. Endlich."

Der General von Eberbach, seiner Frau wie immer im Schlepptau folgend, hatte dagegen seine übliche mürrische Miene aufgesetzt, die zu sagen schien: Was freust du dich jetzt schon, unser Sohn wird es, wie immer, versauen.

Ort: Psyche, San Franzisko, Kalifornien

„Wir müssen es ihm versauen, es geht nicht anders", beendete il caskar das vertrauliche Gespräch mit Takhtusho.

„Vielleicht wissen die anderen, dass du zu mir gekommen bist, nach dem du sie so schnell verlassen hast."

„Sie werden es sich denken können."

„Dann werden sie sich auch ausmalen, dass wir ihnen reinpfuschen wollen", gab Takhtusho zu bedenken.

„Ich bin mir sicher, Aidoneus hat einen Plan B."

„Kennst du den?"

„Den kennt nur er."

„Gut, dann müssen wir zuerst euren Plan A verhindern. Er will es so drehen, dass aus der Stabsübung ein echter Krieg wird. Wie?", fragte Takhtusho.

„Auf ganz einfache Weise. Die Kommunikation der Führungskräfte wird nicht abgeschnitten, sondern tatsächlich an jene Einheiten übertragen, die sie ausführen sollen."

„Die an eine Übung glauben?"

„Nein, das ist ja das fiese. Für die unteren Ebenen wird alles nach einem richtigen Krieg aussehen. Den werden sie dann auch mit aller Entschlossenheit führen."

Ort: Psyche, Schloss Ehrlichthausen

„Du willst deinen Plan mit aller Entschlossenheit umsetzen? Obwohl il caskar dich verraten hat?", fragte Peta erstaunt.

„Nicht obwohl, sondern weil", antwortete Aidoneus.

„Dein Plan B ist recht einfach. Auch den werden sie schnell durchschaut haben", wandte Peta ein.

„Na hoffentlich."

„Verstehe. Du hast einen Plan C."

„Mindestens. Weißt du, was wir beide gemeinsam haben, Polemos? Nein? Wir hassen es, zu verlieren."

Ort: Psyche, Sowjetunion, (geheimes) Labor Nr. 2

„Ich hasse es, zu verlieren."

„Was ist denn los?", fragte Chefkonstrukteur Jangel.

Aber Koroljow lief ihm einfach mit der Zeitung in der Hand davon.

Er holte ihn erst im Büro ein, wo er hörte, wie Koroljow telefonisch den Chef verlangte. „Wir müssen Plan B starten, Genosse Marschall. Sofort. Nur so haben wir die Chance, den Amerikanern zuvorzukommen. Erteilen Sie die Erlaubnis dazu? Ja? Danke, Genosse Marschall."

„Plan B, Serjoscha?"

Koroljow hielt die amerikanische Zeitung hoch. „Die Amis wollen einen Artikel über Satelliten veröffentlichen. Übermorgen. Also werden wir unser Baby morgen starten."

„Morgen schon? Geht das so schnell?"

Koroljow sah ihn verwundert an. „Wir haben alles vorbereitet. Chruschtschow selbst hat es genehmigt, auch wenn er nicht viel von unseren Raketenstarts hält."

„Versteht er nicht, was die bedeuten?"

„Nein, Mischa, er hat keine Ahnung von Technik. Keine Angst, die „Washington Post" wird es ihm schon erklären, wenn unser Baby erst im All ist. Ich habe aber keine Lust, mir von den Amerikanern die Butter vom Brot nehmen zu lassen. Wir werden die Ersten sein. Marschall Nedelin hat gerade grünes Licht gegeben. Er weiß, was es bedeutet."

„Die Amerikaner werden ebenfalls bald verstehen, was das bedeutet", war sich Jangel sicher.

„Fragt sich nur, was sie mehr ärgern wird. Dass wir ihnen im Weltall zuvorgekommen sind. Oder ihr dadurch erworbenes Wissen, über unsere Fähigkeit, jederzeit ihr Land angreifen zu können, ohne unser Land dafür verlassen zu müssen."

10. Kapitel   MAD is better

„**Gleichgewicht des Schreckens** (auch **MAD-Doktrin**, von engl. *mutually assured destruction*, „wechselseitig zugesicherte Zerstörung", wobei MAD übersetzt zugleich „verrückt" bzw. „wahnsinnig" bedeutet; ugs. dt. auch **Atompatt**) ist ein im Kalten Krieg zwischen den USA und der Sowjetunion geprägter Begriff und bezeichnet eine Situation, in der eine Nuklearmacht vom Ersteinsatz von Nuklearwaffen dadurch abgehalten wird, dass der Angegriffene selbst nach einem nuklearen Erstschlag noch vernichtend zurückschlagen könnte. Spieltheoretisch wird das Gleichgewicht des Schreckens auch als „Nash-Gleichgewicht" aufgefasst."

aus Wikipedia, Erde (abgerufen am 14.10.2016, 15:02 Uhr)

Ort: Psyche, Serpuchow, südlich von Moskau

„Ich bin mir sicher, Sie haben mich gut verstanden, Genossen. Unsere Welt schlittert seit Jahren am Rande eines Krieges, der sie vernichten wird. Unsere Aufgabe wird in Zukunft sein, so etwas zu verhindern", sagte General Pawlow mit einer Eindringlichkeit und Wärme, die alle im Bunker 15 teilten.

„Kriege verhindert nicht der, der zuerst schießt", fuhr der General fort, „sondern der, der von vornherein jedes Schießen verhindert."

Pawlow konnte deutlich erkennen, dass seine Worte die richtige Wirkung erzielten. Jeder der hier anwesenden

Soldaten und Offiziere hatte eine Familie und damit etwas zu verlieren.

„Wir wissen durch die unermüdliche Arbeit unserer Tschekisten", fuhr der General fort, „dass die Amerikaner und ihre Verbündeten eine Raketenstabsübung abhalten werden. Die sind nie weit davon entfernt, plötzlich Realität zu werden. Also seien Sie wachsam, Genossen."

Dann sah er zum größeren der zwei Radarmonitore.

Nur ein Leuchten würde zeigen, dass sich ein Objekt dem sowjetischen Luftraum näherte.

Welches Objekt, das zeigte der Monitor nicht.

Es würde nur Alarm auslösen, mehr nicht.

Ort: Psyche, Llano Estacado, Texas

Der Alarm sorgte nicht für Hektik, sondern nur dafür, dass die Nachtruhe ein sehr abruptes Ende fand. Und ein viel zu zeitiges.

Die Soldaten und Offiziere waren gut geschult. Jeder wusste, was er zu tun hatte. Jeder Handgriff saß.

Normalerweise liefen in solchen Situationen immer irgendwelche wichtig aussehende Offiziere herum, die Dinge auf Klemmbretter schrieben und mit ernster Miene Stoppuhren musterten.

Diesmal nicht. Kein gutes Zeichen.

Die Ranghöheren Offiziere beobachteten ihre Mannschaften beim Vorbereiten der Raketen.

Alle hofften, irgendjemand würde sie aus diesem Alptraum wecken und ihnen erklären, DEFCON 2 wäre nur im Rahmen einer Übung ausgerufen worden.

Ort: Sowjetunion, (geheimes) Labor Nr. 2

„Das ist keine Übung mehr, Genossen, sondern ernst. Wenn alles gut geht, werden wir heute Weltgeschichte schreiben, wenn nicht, werden wir uns unsterblich blamieren."

Koroljow wusste, das, was er gerade gesagt hatte, war allen bewusst. Aber er musste es aussprechen. Auch, um seine eigene Nervosität zu überspielen.

Danach überwachte er weiter das Auftanken der Rakete.

Ort: Psyche, Llano Estacado, Texas

„Das Auftanken der Raketen ist abgeschlossen, Sir."

Der Colonel blickte seinen Stabschef an. „Wird eine Riesensauerei werden, den Scheiß wieder abzulassen, Major."

„Und wenn wir die Dinger abfeuern müssen, Sir?"

„Noch sind die Sprengköpfe nicht aktiviert. Seit dem Zwischenfall auf Formosa geht das nicht mehr so einfach."

„Aber es geht trotzdem noch schnell genug. Die Verantwortlichen stehen bereit, Sir", gab der Major zu bedenken.

„Ich weiß, Major, ich weiß. Beten Sie dafür, dass wir sie rasch wieder in ihre Betten schicken können."

„Was meinen Sie, Sir, ist es eine Übung oder wird es ernst?"

„Ich weiß von einer Übung im Pentagon. Man will die neuen Richtlinien zum Einsatz von Kernwaffen erproben. Es war aber nicht vorgesehen, die Streitkräfte in diese Übung einzubeziehen."

„Was da wohl schiefgelaufen ist, Sir?"

Ort: Psyche, Kamtschatka

„Was ist schiefgelaufen, Genosse Major?"

„Nur Kleinigkeiten, Genosse Oberst. Die erste Kompanie meldet zwei Abgänge."

„Schon wieder? Werden wohl irgendwo ihrem Rausch ausschlafen. Erinnern Sie mich nach dieser Übung daran, der Sache auf den Grund zu gehen, Genosse Major. Im Moment gibt es wichtigeres."

„Zu Befehl, Genosse Oberst."

„Mit den Zeiten bin ich mehr als zufrieden. Aber das dürfen die Kompaniechefs nicht erfahren. Die werden sonst zu nachlässig", bemerkte der Oberst mit ungewohnter Leutseligkeit.

Dann ging er zum Fenster und sah in die Dämmerung hinaus, wo irgendwo seine Raketen standen. „Die Gyroskope sind angelaufen?"

„Jawohl, Genosse Oberst", erwiderte zackig der Major.

„Damit wären wir dann startbereit. Wussten Sie von einer Übung, Genosse Major?"

„Nein, Genosse Oberst."

„Ich auch nicht. Aber wir können unsere Babys sowieso nur ein paar Tage dort stehen lassen. Dann müssen wir sie entweder auf die Vereinigten Staaten abfeuern oder den Treibstoff ablassen. Wissen Sie, Genosse Major, warum wir noch nie auf dem Roten Platz waren?"

„Das ist nicht schwer zu erraten, Genosse Oberst. So weiß keiner, dass es uns gibt."

„Ja, aber die werden es bald erfahren. Der Genosse Kamanin hat mir das verraten."

„Sie kennen ihn?"

„Nicht nur als Helden der Sowjetunion aus dem Fernsehen. Wir kommen beide aus derselben kleinen Stadt. Er ist bereits General und sein Kommando ist so geheim, dass er es mir nicht verraten durfte. Was er sagen durfte ...? Nun, es hat mit Raketen zu tun. Und er sagte, die Amis würden bald erfahren, wie gut unsere Raketen sind."

Ort: Psyche, Washington, DC

„Wissen wir, wie gut ihre Raketen sind?", fragte der Sicherheitsberater des US-Präsidenten.

Die Stabsoffiziere sahen sich an. Dann nickten sie ihrem Vorsitzenden zu

„Die Typen in Langley behaupten, die Russen haben Raketen, die direkt die Staaten angreifen könnten. Aber das halte ich für ausgeschlossen, Sir."

„Warum?", fragte der Sicherheitsberater verwundert.

„Weil wir sie nicht haben", antwortete der Viersternegeneral schlicht.

„Soll das heißen", hakte der Sicherheitsberater nach, „es ist unmöglich, solche Raketen zu bauen?"

„Nein, Sir, unmöglich ist es nicht. Aber wenn wir es noch nicht geschafft haben, wie sollen die das dann schaffen?"

„Vielleicht sind sie uns in der Raketentechnik voraus? Ist Ihnen diese Idee schon mal gekommen? Die Deutschen waren das doch auch."

„Das waren Deutsche, Sir, keine Russen."

Der Sicherheitsberater schwieg eine Weile und musterte den Vorsitzenden der Vereinigten Stabschefs. Eine neue Generation Führungsoffiziere hatte er an diesem Tisch. Im letzten Krieg, als er bereits General war, hatten sie noch niedere Ränge belegt. Nun trug dieser Typ hier mehr Generalssterne, als er je erreicht hatte. Wofür?

Aber der Sicherheitsberater blieb ruhig. Schließlich war er nun Zivilist. Aber immer noch Offizier genug, um zu wissen, von wem sich Offiziere etwas sagen ließen.

„Fahren Sie mit Ihrer Übung fort, General, ich finde es immer interessanter. Mal sehen, wohin uns Ihre Taktiken und Überlegungen bringen. Bis jetzt ist es ein interessanter, kleiner Schreibtischkrieg."

Ort: Psyche, Pasadena, Kalifornien, Caltech

„Bis jetzt ist es nur ein Schreibtischkrieg. Machen wir es interessanter", kommentierte Aidoneus die MindNetProjektionen vor ihm.

Es waren mehrere. Kamtschatka war zu sehen, der Weltraumbahnhof in Tjuratam, die Raketenbasis im Llano Estacado und das Kontrollzentrum in Serpuchow.

il caskar hatte bisher geschwiegen. „Du hast wirklich vor, Psyche zu vernichten?", fragte er.

Aidoneus sah ihn an. „Ich habe einen Deal mit Renatus, wie du weißt. Den werde ich einhalten."

„Ich hatte oft mit ihm zu tun. Er hat mich jedes Mal verarscht", gab il caskar zu bedenken.

„Ich bin Aidoneus. Mich verarscht man nicht."

„Ich bin il caskar und habe von mir das gleiche geglaubt."

„Hast du mich deshalb verraten?"

„Dich verraten?", fragte il caskar ehrlich erstaunt.

„Tu doch nicht so. Ich weiß alles. Auch, dass du all unsere Pläne an Kowalski weitergegeben hast, damit sie der Neue Hohe Rat vereitelt."

„Psyche zu vernichten ist falsch."

„Sagt der", fragte Aidoneus spöttisch nach, „der die ganze Zeit versucht, diese Welt den Bach runter gehen zu lassen?"

„Ich habe meinen Irrtum eingesehen."

„Irrtum? Es war kein Irrtum. Es war richtig. Sieh sie dir doch an", wies Aidoneus auf die verschiedenen MindNet-Projektionen.

Wie ein Dozent auf- und ablaufend, erklärte er: „Kaum haben sie einen Krieg überstanden, beginnen sie schon den nächsten. Anfangs schreckte sie noch, wie furchtbar die Waffen sind, über die sie nun verfügen. Inzwischen sehen sie ein, dass es viel wichtiger ist, den eigenen Untergang einzukalkulieren, wenn damit der des Feindes ebenfalls gesichert ist. Diese Welt schreit regelrecht nach dem Gott des Todes. Was soll mich also aufhalten?"

„Die Menschen auf Psyche, die leben wollen? Die, die den Frieden wollen und dafür auf die Straße gehen?", gab il caskar zu bedenken.

„Natürlich spüre ich, wie mächtig die Bewegung ist, die Sakania aufgebaut hat. Ich werde diese Macht in meinen zukünftigen Plänen einkalkulieren."

„In deinen zukünftigen Plänen?"

„Du musst noch viel lernen, mein Junge. Du kennst die Pläne von mir, die du kennen solltest. Deinen Verrat überrascht mich nicht, er war Teil meiner Planung. Ich wiederhole es gern noch mal für dich: Die Pläne echter Götter gehen nicht schief. Bist du inzwischen ein echter Gott?"

„Das werde ich dir beweisen."

„Das wäre schön. Ich habe meiner Schwester versprochen, dass sie ihre Macht bald an ihren Sohn übertragen kann. Es ist eine gewaltige Macht. Die gehört in die richtigen Hände."

„In deine Hände bestimmt nicht."

„In meine Hände? Ich habe diese Macht bereits. Deine Mutter ist prima ultima, ich primus ultimus*. Du bist augenblicklich immer noch das Würstchen, das du immer gewesen bist."

Aidoneus musterte il caskar bei diesen Worten und lächelte plötzlich. „Kein wütender Angriff?", fragte er spöttisch.

il caskar schwieg immer noch.

„Verstehe", kommentierte Aidoneus, „du berechnest deine Chancen. Das ist doch schon mal ein guter Anfang. Ich setze meine Pläne weiter um. Zuerst einmal werde ich dem Sicherheitsberater den echten Atomkoffer zuspielen. Mal sehen, was er mit dem Football anfangen kann."

---

* beide Begriffe kann man so übersetzen, dass beide die einzige Gottheit ihrer Art im gesamten Multiversum darstellen, als göttliche Personifizierung eines allgemein gültigen Naturprinzips

Ort: Psyche, Washington, DC

„Das ist also der Football?", fragte der Sicherheitsberater des Präsidenten. „Sieht verdammt echt aus."

„Ist aber nur eine Kopie, Sir", erwiderte der Gunnery Sergeant, der immer mit der „Football" genannten Aktentasche bereitstand.

„Was ist der Unterschied?", wollte der Sicherheitsberater des Präsidenten wissen.

„Die Kommunikationsverbindungen sind nicht aktiviert."

„Ich könnte also Domino´s Pizza anrufen und würde keine geliefert bekommen?", versuchte der Sicherheitsberater zu scherzen.

„Es baut nur militärische Nachrichtenverbindungen auf. Für den Pizzadienst gibt's das Telefon", kam die trockene Antwort. In bestimmten Bereichen kennt ein Gunnery Sergeant keinen Spaß.

„Gut, behandeln wir die Sache mit dem nötigen Ernst", lenkte der Sicherheitsberater ein.

„Es ist eine Übung, Sir. Sie vertreten den Präsidenten, Sir, und übernehmen dessen Rolle. Ein Kriegsszenario ist eine ernste Sache, Sir", stimmte der Oberste Stabschef zu.

Der Sicherheitsberater räusperte sich. „Sie haben Recht, General. Schreiben Sie es meiner Aufregung zu. Wie verfahren wir weiter?"

„Die Kommandeure vor Ort schätzen die Lage ein und bitten im Ernstfall um die Freigabe unserer nuklearen Potentiale. Nach dem Formosa-Zwischenfall darf diese

Freigabe nur noch der Präsident erteilen. Das wäre dann ihr Part."

„Wir sind also nur in Bereitschaft und warten, dass es ernst wird? Habe ich das richtig verstanden?"

„Ja, Sir", erwiderte der General. „Wir warten jetzt, bis sich die Kommandeure bei uns melden, und um die Freigabe ihrer Atomwaffen bitten."

Ort: Psyche, Chabarowsk, OK Fernost, UdSSR

„Die Kommandeure bitten um die Freigabe der strategischen Atomwaffen? Sind Sie sich sicher? Warum sollten die einen Atomkrieg anfangen wollen. Haben Sie die Befehle genau überprüft?"

„Das habe ich, Genosse Marschall!" Der Stabschef salutierte so stramm und machte eine so ernste Miene, dass jede Art von Scherz von vornherein ausgeschlossen war.

Der noch verschlafen wirkende Oberbefehlshaber des Militärbezirkes Fernost sah ihn erstaunt an.

„Hat jemand Selbstgebrannten verteilt, Dimitri?", versuchte er eine andere Lösung des Problems zu finden.

„Nein, Genosse Moskalenko."

„Das wäre aber die einzige Erklärung. Warum wollen die die Aktivierungscodes? Habe ich zu lange geschlafen? Wie ist die Bedrohungslage?", fragte der Marschall.

„Alles normal. Allerdings wurde eine Raketenübung befohlen", erklärte sein Stabschef.

„Eine Raketenübung? Warum weiß ich davon nichts? Machen Sie mir eine Verbindung mit Marschall Schukow. Sofort!"

„Sie wollen den Verteidigungsminister wecken lassen?"

„Wollen Sie, dass das amerikanische Atomwaffen übernehmen? Ich will ihn sprechen. Jetzt."

Ort: Psyche, Kamtschatka, Raketenstation

„Der Kompaniechef ist nicht zu sprechen, Genosse Oberleutnant", sagte der Posten mit mehr Festigkeit, als er fühlte.

Der Oberleutnant lächelte und zog einen schmalen Dienstausweis hervor, der an einer ebenso schmalen goldenen Kette hing. Der Posten wusste, was das bedeutete. Solche Ausweise besaßen nur die Heinis vom Geheimdienst.

„Ist der Kompaniechef jetzt zu sprechen, Bürschchen? Oder sollen dir meine Genossen Beine machen?"

Der Posten sah auf die Handvoll Männer, die den Geheimdienstoffizier begleiteten und dachte, von denen könne keine Gefahr ausgehen.

Also drehte er sich um.

Es war seine letzte Bewegung. Das „plopp" machende Geräusch hörte er nicht.

Ort: Psyche, Serpuchow, südlich von Moskau

„Es gibt ein „plopp" machendes Geräusch", erklärte General Petrow anerkennend, „immer dann, wenn unbekannte Objekte unseren Radarbereich erreichen."

„Und woher wissen wir, ob es sich dabei um feindliche Raketen handelt. Es können doch auch harmlose Kraniche sein?", fragte die Genossin, die für das Protokollieren zuständig war.

Der General sah sie wohlwollend an. Wobei sich dieses Wohlwollen auf die Jugend und das Aussehen der Genossin bezog. Nicht auf ihre Frage.

„Kraniche haben keine Radarreflektion, Genossin Soldatin", belehrte er. „Außerdem fliegen sie nicht mit mehrfacher Schallgeschwindigkeit. Raketen besitzen beide Eigenschaften. Dadurch verraten sie sich."

„Und woher wissen wir, dass sich auf den Raketen Atomsprengköpfe befinden? Sieht man das auf dem Radar?"

„Natürlich nicht, Genossin. Aber es können nur Atomraketen sein. Warum sollte man sie sonst abschießen?"

„Um ins All vorzustoßen. Das machen ballistische Raketen doch sowieso. Warum kann man dann keine losschicken, die oben bleibt?"

Der General lachte. „Sie haben zu viel Jefremow gelesen. Raketen ins All schicken ... "

Ort: Psyche, Sowjetunion, (geheimes) Labor Nr. 2

„Wir schicken die erste Rakete ins All, Genossen. Von hier und heute an ändert sich die Geschichte dieser Welt", verkündete Koroljow stolz.

Er sah auf seine Mitstreiter und fuhr fort: „Ich habe den Startvorgang initiiert. Nun sind es nur noch sechzig Minuten bis zum Start. Alle wissen, was sie zu tun haben. Ich wünsche uns allen viel Erfolg, Genossen."

Koroljow konnte erkennen, dass seine Worte eigentlich nicht nötig waren. Musste man eine Fußballmannschaft motivieren, ein Weltmeisterschaftsfinale gewinnen zu wollen? Wohl kaum.

Die Uhren zählten die Startzeit herunter. Die Ingenieure überwachten die Kontrollen und er hatte in einer Stunde Gewissheit, ob das, wofür er so lange gekämpft hatte, Wirklichkeit werden konnte.

Ort: Psyche, Washington, DC

„Es ist doch nicht die Wirklichkeit, Sir, sondern nur eine Übung", erklärte der Vorsitzende der Joint Chiefs of Staff.

„Das wundert mich ja gerade, General. Wenn es sich nur um eine Übung handelt, warum wird dann von mir verlangt, die richtigen Codes durchzugeben?"

„Um die Sache so realistisch wie möglich darzustellen. Das ist doch nichts neues", kam der Chief of Staff of the Army dem Vorsitzenden zu Hilfe.

304

Der Nationale Sicherheitsberater musterte die ihm gegenübersitzenden Offiziere. Er konnte nur die ruhigen Mienen von Männern sehen, die ihre Arbeit machten. Sein Misstrauen war dadurch aber nicht ganz behoben.

Er nahm eine Tafel aus dem Koffer und ein verschlüsseltes Funkgerät.

Die auf der Tafel enthaltenen Botschaften schien er sich lange durchzulesen.

Zu lange, fand der Vorsitzende der Joint Chiefs of Staff. Nur er wusste, was heute wirklich geplant war. Die Anderen hatten keine Ahnung. Aber das war auch nicht nötig.

Nach viel zu langer Zeit, wie es ihm erschien, aktivierte der Sicherheitsberater sein Funkgerät.

Es gab die übliche Kommunikation, um Codes auszutauschen, damit die Gegenseite wusste, mit wem sie es zu tun hatte.

Dann kam der entscheidende Moment, wusste der Vorsitzende der Joint Chiefs of Staff. Der Befehl zum Scharfmachen der Atomwaffe und die Durchgabe der Startcodes für die Raketen. Keiner wusste, wie das geregelt war. Er kannte die Codes nicht. Er vermutete einen Zahlencode. Der war immer schwer zu knacken.

„Im Walde zwei Wege boten sich mir dar und ich ging den, der weniger betreten war – und das veränderte mein Leben", gab der Stabschef des Weißen Hauses durchs Funkgerät, bevor sein „Over" verkündete, dass er auf Empfang sei.

Es knackte nur eine Weile, als wäre die Gegenseite genau so überrascht, bekannte Lyrik zu hören, wie die anwesenden Stabsoffiziere.

Dann kam die Stimme aus dem Lautsprecher des Funkgerätes: „Verstanden Sir. Ich muss Sie nun bitten, die neunte Zeile auf Ihrer Code-Karte durchzugeben. Die Zeilen sind nummeriert, Sir."

Es folgte eine Menge Zahlen.

Alles, was nach den Zahlen folgen würde, waren Ereignisse, die nicht mehr aufzuhalten waren.

Ort: Psyche, Serpuchow, südlich von Moskau

Wenn ich den Befehl gebe, auf vermeintliche Angriffe zu reagieren, dachte General Petrow, dann setze ich Ereignisse in Gang, die sich nicht mehr aufhalten lassen.

Genau diesen Moment wählte das System, um jenes „plopp" machende Geräusch zu verursachen.

Der General sah auf den Radarschirm und dann auf den Großrechner, der die Radarsignale interpretierte.

Die Bänder bewegten sich lange hin und her. Schließlich spuckte der Rechner einen Papierstreifen aus.

Der zuständige Operator, ein blutjunger Hauptmann, brachte dem General den Streifen.

Der befahl dem Hauptmann mit einer Geste, zu bleiben, während er las. „Sehen Sie sich das an, Genosse Hauptmann. Was halten Sie davon?", fragte er ihn, nachdem er gelesen hatte.

Der junge Hauptmann schaffte es, nur ein bisschen rot zu werden. Er ließ sich Zeit. „Atmosphärische Anomalien?", fragte er schließlich unsicher.

„Der Meinung bin ich auch. Bitte notieren Sie das im Protokoll, Genossin Soldatin."

Die Protokollantin musste sich Mühe geben, die Bewunderung für den General, die sie immer noch zeigte, so in den Griff zu bekommen, dass sie ihrer Arbeit nachgehen konnte.

Bevor der General die Direktverbindung zum Verteidigungsminister wählte, nahm er sich vor, der unverhohlenen Bewunderung, mit der er von der Genossin angesehen wurde, auf den Grund zu gehen. Nach dem Dienst, versteht sich.

Jetzt musterte er seine Besatzung, die, bis auf die neu hinzugekommene Soldatin, alle von Anfang an dabei waren.

Sie bedurften keiner Aufforderung, weiterhin aufmerksam zu sein.

Ort: Psyche, Llano Estacado, Texas

„Wir müssen verdammt aufmerksam sein, damit uns die Sache nicht aus dem Ruder läuft", knurrte der Colonel.

„Ist sie das nicht schon, Colonel? Wir sind nur noch zwei Schritte von einem Atomkrieg entfernt. Dabei gibt es im Moment keine Bedrohung von der wir wissen."

„Es ist nur eine Übung, Major. Da wird schon nichts passieren", versuchte der Oberst, zu beruhigen.

Aber es geschah doch was. Draußen ertönte der Alarm.

„Als hätte ich´s geahnt... Verdammte Scheiße, was ist da draußen los", brüllte der Oberst, während er die Tür zum Vorzimmer aufriss.

Der Sergeant hinter dem Schreibtisch sprang auf und salutierte. „Jemand hat einen Sprengkopf aktiviert, Sir."

„Ohne, dass ich davon weiß?"

„Ist mir auch rätselhaft, Sir. Das System ist neu, wie Sie wissen. Scheint, als gäbe es jetzt eine Möglichkeit, den Raketenbesatzungen direkt Befehle zu erteilen."

„Genau das sollte damit abgeschafft werden. Ich benötige eine Zug MPs da draußen. Und zwar jetzt, Major. Hoffen wir, dass keiner der Jungs den dritten Weltkrieg angefangen hat."

Ort: Psyche, Serpuchow, südlich von Moskau

„Nein, Genosse Marschall, bisher gibt es keine Anzeichen, dass die Amerikaner den dritten Weltkrieg angefangen haben", erklärte General Petrow.

„Und die Radarsignale, die Sie mir gemeldet haben?"

„Waren nur vereinzelt, Genosse Marschall, und die Geschwindigkeit viel zu gering, um eine Rakete zu sein. Glauben Sie, dass die Amerikaner nur eine Rakete schicken, um uns anzugreifen?"

Psyche, Sowjetunion, (geheimes) Labor Nr. 2

„Man muss nur eine Rakete schicken, um die Welt aufzurütteln, Mischa", freute sich Koroljow.

„Das haben wir ja nun getan, Serjoscha. Wenn unser Baby erst da oben ist und seine Funksignale aussendet, wird die ganze Welt wissen, wozu das Volk der Sowjetunion in der Lage ist."

Intermezzo 5

Es heißt, die Götter spielen mit dem Leben der Menschen. Aber weiß jemand, um was es dabei geht, wer als Spielfigur eingesetzt wird und welche Regeln gelten? Man sollte besser nicht darüber spekulieren.

Terry Pratchett, „Wachen! Wachen!", (Erde, 1989)

Ort: Terra Nostra, Schloss Richard Renatus´

Richard Renatus sah sich noch eine ganze Weile die Bilder von Psyche im MindNet an.

Allein.

Alexandra und Catarina waren bereits nach Psyche unterwegs, nachdem sie ihm dabei geholfen hatten, dass die Intrigen Aidoneus´ und il caskars den gewünschten Ausgang nahmen.

KGB Truppen, die einen Stützpunkt überfallen hatten, um aktivierte Atomraketen abfeuern zu können.

US-Soldaten und Offiziere, die das gleiche versuchten, und dabei erfolgreich waren.

Insgesamt ein göttlicher Plan, der funktionieren sollte.

Renatus sah weiter auf die KGB Truppe in Kamtschatka. Und auf die amerikanischen Soldaten und Offiziere, die Aidoneus so gut für diesen Tag vorbereitet hatte.

Ort: **Akromytikas**

*Die gut vorbereitete Gruppe in Texas näherte sich einer der voll-
getankten Raketen.*

*Selbstverständlich war einer der Offiziere in der Lage, den Ge-
fechtskopf zu aktivieren. Sie wussten alle, dass dadurch ein Alarm
im Stützpunkt ausgelöst wurde. Waren aber bereit, notfalls für ihre
gerechte Sache zu sterben.*

Diese Narren, dachte Aidoneus.

*Nützliche Narren fanden sich immer. Komischer Weise stets be-
reit, für irgendwelchen ideologischen oder religiösen Schwachsinn das
Leben zu lassen.*

So lange es solche Menschen gab, war es nie vorbei.

Ort: **Psyche, Schloss Gripsholm**

*„Es ist noch nicht vorbei", erklärte Takhtusho, auf die verblas-
sende MindNetProjektion zeigend.*

*Die anderen drehten sich zu ihm um, während er sich alle Mühe
gab, den mentalen Impuls, den er gespürt hatte, zu verstärken.*

*Dankbar nahm er Sakanias Hilfe an und spürte dann, wie die
anderen ihn ebenfalls unterstützten.*

Sogar il caskar. Denn der war ziemlich wütend.

Auf die Community oder auf Aidoneus?

Ort: **Akromytikas**

„Ach, Aidoneus", sagte Richard Renatus, kaum dass er aus der RaumZeit aufgetaucht war, „glaubst du wirklich, du könntest so etwas vor mir verbergen?"

„Vor dir nicht, aber vor den Kindern", antwortete Aidoneus.

„Sie sind mächtiger als du glaubst. Sie werden es spüren."

„Aber vielleicht nicht rechtzeitig genug?"

„Warum hast du mich nicht um Hilfe gebeten?"

„Dich? Dabei?", fragte Aidoneus und wies auf seine MindNet-Projektionen. „Das schaffe ich allein."

Auf Kamtschatka schien alles prächtig zu laufen. Die Männer des GRU waren noch weit von der Rakete entfernt, um die KGB-Leute aufzuhalten. Sie würde starten. Das war unschwer zu erkennen.

Die Rakete in Texas würde ebenfalls starten, obwohl sich der Oberst mit Hilfe der Militärpolizei viel Mühe gab, das zu verhindern.

Aidoneus´ Pläne gingen nie schief, wusste Richard.

„Natürlich hätte ich dir dabei geholfen, die Raketen zu starten. Psyche, so wie es ist, muss vernichtet werden."

Den letzten Satz richtete er mehr an den Neuen Hohen Rat, dessen Mitglieder nach und nach aus der RaumZeit erschienen waren. Sehr wütende Mitglieder, wie man sehen konnte.

Denn alle hatten ihre Schwerter in der Hand.

Aidoneus hatte seins rasch gezogen, während Richard nur in erhabener Nacktheit und mit verschränkten Armen dastand.

„Wollt ihr gegen mich kämpfen. Wegen einer Entscheidung, die ich für Psyche getroffen habe?", fragte er ruhig.

Er musste nicht drohen. Die Aura eines Arbiter Deus war an sich schon Drohung genug.

Die anderen spürten das.

„Warum?", fragte Kowalski verzweifelt.

„Irgendwann wirst du es verstehen", erwiderte Richard Renatus. Obwohl, oder weil er wusste, dass er Kowalski in Wortwahl und Tonfall damit gegen sich aufbrachte.

„Ich will es nicht verstehen. Ich werde es verhindern", war Kowalskis Antwort.

„Versuch es nur", ermunterte ihn Richard Renatus.

„Wir werden es versuchen", antwortete Sakania, ehe sie mit den anderen verschwand.

„Sieht so aus, als hättest du die Kleine viel mehr gegen dich aufgebracht, als es Peta je geschafft hat. Respekt", grinste Aidoneus.

„Steck dein Schwert weg."

„Ist schon verschwunden. Den Körper darf ich behalten?"

„Habe ich das nicht versprochen?"

„Aber ich habe dich hintergangen."

„Du? Mich hintergangen? Wie sollte das gehen?"

Aidoneus wies nur auf die beiden Raketen, die inzwischen gestartet waren und Ihre Megatonnen an Zerstörungskraft in den Kosmos schickten, um von dort auf Psyche zurück zu stürzen.

Richard sah ebenfalls zu den Raketen. „Du hast dir diesen Körper mehr als verdient. Denn diese Raketen werden das erreichen, was ich erreichen wollte. Psyche, so wie es ist, wird zerstört werden."

Über den Autor

Thorsten Klein wurde am 02. Oktober 1964 in Großenhain geboren. Dort lebt er immer noch.

Nach einer Ausbildung im Großenhainer „Institut für Lehrerbildung", begann er sein Berufsleben im Gesundheitswesen. Nach vielen Jahren in der Erziehungshilfe und einem Studium zum Dipl. Sozialpädagogen/Dipl. Sozialarbeiter, ist er nun in verschiedenen Feldern der Sozialarbeit tätig.

Weitere Informationen zum Autor und zu seinen Büchern findet ihr auf:

www.planet-psyche.de

PSYCHE als Hardcover:

„Curare" (2017)

„Mephosto" (2019)

„Conclusio" (2020)

PSYCHE als Taschenbuch:

„Imperium" (2015)

„Conversio" (2015)

„Omnipotens" (2020)

„Usus Belli" (2020)

„Pugnam Pugnare" (2020)

„Per Aspera Ad Astra" (2020)

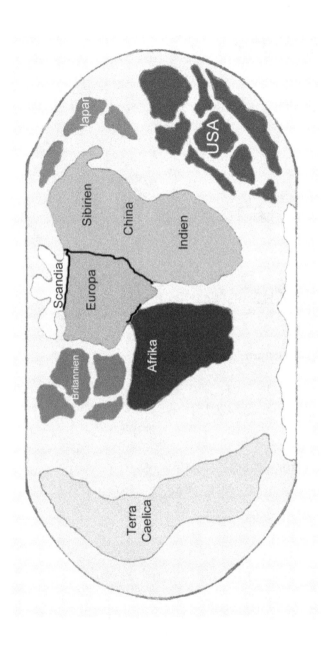

316

CPSIA information can be obtained
at www.ICGtesting.com
Printed in the USA
BVHW071419080321
601998BV00004B/461